LEAVING CERTI

CW00664658

LESS STRESS
MORE
SUCCESS

Irish Revision
Ordinary Level

Noelle Ryan

Gill & Macmillan

Gill & Macmillan

Ascaill Hume

An Pháirc Thiar

Baile Átha Cliath 12

agus cuideachtaí comhlachta ar fud an domhain

www.gillmacmillan.ie

© Noelle Ryan 2011

978 0 7171 4686 4

Pictiúir le brianfitzer.ie

Cló churadóireacht bhunaidh arna déanamh in Éirinn ag Liz White Designs

Cló churadóireacht le Carole Lynch

Rinneadh an páipéar atá sa leabhar seo as laíon adhmaid ó fhoraoisí rialaithe.
In aghaidh gach crann a leagtar cuirtear crann amháin eile ar a laghad, agus ar
an gcaoi sin déantar athnuachan ar acmhainní nádúrtha.

Gach ceart ar cosaint. Ní ceadmhach aon chuid den fhoilseachán seo a atáirgeadh, a
chóipeáil ná a tharchur i gcruth ar bith ná ar dhóigh ar bith gan cead scríofa a fháil ó na
foilsitheoirí ach amháin de réir coinníollacha ceadúnas ar bith a cheadaíonn cóipeáil
theoranta arna eisiúint ag Gníomhaireacht Cheadúnaithe Cóipchirt na hÉireann.

Níor cheart aon naisc le láithreáin Ghréasáin sheachtracha a fhorléiriú mar aontú
Gill & Macmillan le hábhar nó le dearcadh an ábhair nasctha.

As cead grianghraif a atáirgeadh tá na foilsitheoirí buíoch de:

© Alamy: 43, 45TL, 45BR, 48, 49T, 49B, 51, 52BC, 52BR, 54, 57, 60, 61T, 87L, 87R,
88L, 88R, 89, 92, 99B, 100, 112, 113T, 113R; © Collins Agency: 196; © Getty Images:
39, 46, 47, 52T, 52BL, 61B, 91, 93, 94, 98, 99T, 101, 103T, 103B, 105, 113L, 113B; ©
Inpho: 86L, 199; © Photocall Ireland!: 194, 198; Courtesy of TG4: 86R.

Beidh na foilsitheoirí sásta socruithe cuí a dhéanamh le haon sealbhóir cóipchirt nach
raibh fáil air a dhéanann teagmháil leo tar éis fhoilsiú an leabhair.

AN CLÁR

Réamhrá/*Introduction* **1**

Na marcanna/*Breakdown of marks* 1

Exam guidelines..2

Caibidil 1: An Bhéaltriail/*The Oral* **3**

Breakdown of the Oral exam marks 3

1. Beannú/*Greeting* 4

2. Léamh nó Aithris Filíochta/*Reading or reciting a poem* ...4

3. Sraith pictiúr/*Series of pictures* 13

4. An comhrá/*The conversation* 26

   All-rounder phrases 26

   Mé féin/*Myself*..31

   M'áit chónaithe/*Where I live* 32

   An scoil/*The school*..36

   Nóta gramadaí 1: Aimsir Láithreach/*Present tense*........40

   Caitheamh aimsire/*Hobbies* 43

   Nóta gramadaí 2: Aimsir Chaite/*Past tense* 44

   Laethanta saoire/*Holidays* 50

   An Ghaeilge agus an Ghaeltacht/*Irish and the Gaeltacht*...54

   Nóta Gramadaí 3: Aimsir Fháistineach/*Future tense* 55

   Nóta Gramadaí 4: An Modh Coinníolach/*The conditional mood* 58

   Fadhbanna an déagóra/*Teenage problems* 61

Caibidil 2: Páipéar a hAon: Cluastuiscint/*Listening* **63**

Cluastuiscint/*Listening Comprehension (Aural)*....................63

Question words 65

Scrúdú na hArdteistiméireachta, 2008 68

Cluastuiscint a dó/*Sample listening comprehension* 76

Caibidil 3: Páipéar a hAon: Ceapadóireacht/*Composing* 82

Option A: Giota Leanúnach/Blag 82

   Nathanna: *Phrases*..84

   Common topics...85

   An tAos Óg: *The Youth*..85

   An Córas Oideachais: *The Education System*................................85

   Spórt: *Sport*..86

   Teilifís agus raidió: *TV and radio*...86

   Taisteal: *Travel*...87

   Ceol agus caitheamh aimsire: *Music and hobbies* 87

   Timpistí: *Accidents*...88

   Fadhbanna sóisialta: *Social problems* 88

   An Aimsir agus na séasúir: *Weather and seasons* 89

   Samplacha..91

Option B: An Scéal 95

   Past tense verbs 96

   Leagan amach/*Layout*: Dea-scéal 97

   Samplacha..98

   Dea-scéal sampla a haon: An cheolchoirm/*The concert* 98

   Dea-scéal sampla a dó: An chóisir/*The party* 101

   Leagan amach/*Layout*: Drochscéal 103

   Drochscéal sampla a haon: Timpiste/*Accident*...........................103

   Drochscéal sampla a dó: Teach trí thine/*A house on fire*...........105

Option C: Ríomhphost/*Email* 107

   Leagan amach/*Layout*...108

   Sampla a haon: An Ghaeltacht 111

   Sampla a dó: Scoil nua..114

Option D: Comhrá/*Conversation*...116

   Leagan amach/*Layout*...117

   Samplacha..120

Caibidil 4: Páipéar a Dó: Prós agus Filíocht/*Prose and Poetry* ..122

Roinn I: Prós 122

 ✶ Oisín i dTír na nÓg/*Oisín in the Land of Youth* 126

   Seal i Neipeal/*A Time in Nepal* 132

 ✶ An Gnáthrud/*The Usual Thing* 137

 ✶ Dís/*The Pair* 142

 ✶ Cáca Milis/*Sweet Cake*..147

   An Lasair Choille/*The Goldfinch* 152

 ✶ Hurlamaboc nó 'Fiche bliain faoi bhláth'/*Twenty years in bloom*...............157

Roinn II: Filíocht ainmnithe nó roghnach...................................**163**

Nathanna úsáideacha/*Handy phrases*.................................164

✻ An tEarrach Thiar/*Springtime in the West* 165

✻ An Spailpín Fánach/*The Wandering Labourer* 171

✻ Géibheann/*Captivity* 177

✻ Colscaradh/*Divorce*...182

✻ Mo Ghrá-sa (idir lúibíní)/*My love (in brackets)* 187

Caibidil 5: Páipéar a Dó: Léamhthuiscintí/
***Reading Comprehensions**...**193**

Ceisteanna samplacha/*Sample questions* 194

Caibidil 6: Gramadach/*Grammar...................................**201**

An Aimsir Chaite 201

An Aimsir Láithreach 202

An Aimsir Fháistineach 203

An Aidiacht Shealbhach/*Possessive adjective*.....................203

Na Réamhfhocail Shimplí/*The simple prepositions*................205

Comhfhocail/*Compound words* 207

Céimeanna Comparáide/*Degrees of comparison* 207

Réamhrá/
Introduction

Na Marcanna/*Breakdown of marks*

Déanann an leabhar seo freastal ar ghnéithe uile an chúrsa Gaeilge don Ardteistiméireacht — Gnáthléibhéal. *This book covers all aspects of Ordinary Level Leaving Cert, Irish.*

The **new Irish Leaving Certificate** exam is divided into three sections:

1. An Bhéaltriail: *The Oral*   40%

2. Páipéar a hAon: *Paper 1*   27%
   (an Chluastuiscint agus Ceapadóireacht)

3. Páipéar a Dó: *Paper 2*   33%
   (Léamhthuiscintí, Filíocht agus Prós)

What you need to know:

An Bhéaltriail 40% (240 marks)

The Oral consists of a greeting, a poetry reading (approximately 2 minutes), describing a set of pictures (4-6 minutes) and a basic chat with the examiner about general topics of personal interest. The Oral lasts around 15 minutes in total.

It is worth **40% of the overall** exam and carries **240 marks out of the total of 600**.

Páipéar a hAon (an Chluastuiscint agus Ceapadóireacht) 27% (160 marks)

Paper One consists of a listening section followed by a writing or composing section. Within the composing, you must answer any two of A, B, C, D.

A) Giota leanúnach/Blag (Blog)

B) Scéal (Story)

C) Ríomhphost (Email)

D) Comhrá ar shuíomh sóisialta (Conversation about a social event)

Paper One is worth **27% of the overall** exam and carries **160 marks out of the total of 600.**

Páipéar a Dó (Léamhthuiscintí, Filíocht agus Prós) 33% (200 marks)

Paper Two consists of two comprehensions, Poetry questions and Prose questions.

You will get two comprehensions based on events currently happening with questions to follow. The prose and poetry section examines your knowledge of the stories and their understanding of the poetry.

Comprehension is worth **16.5% of the overall** exam and carries **100 marks out of the total of 600.**

Prose Questions are worth **8.25% of the overall** exam and carry **50 marks out of the total of 600.**

Poetry Questions are worth **8.25% of the overall** exam and carry **50 marks out of the total of 600.**

Exam guidelines

Advice:

The best advice for any Leaving Certificate candidate is to make sure you have all your notes, a solid understanding of question styles and a broad foundation of vocabulary that can be used in all sections of the exam.

All-rounder phrases:

A lot of phrases, once learned, can be used in all three sections — Oral, Paper One and Paper Two

Mar shampla: Is léir don dall go bhfuil...

It's clear to the blind that...

Throughout the course of this book, you will see key 'all-rounders' that will reoccur; my advice to you is to learn these and reuse them so you will lessen your workload!

Techniques:

In the **Oral situation**, the best advice for any candidate for the Poetry Section is to upload the recordings that are available on the CD inside the cover of this book to your Ipod or MP3 etc., and to listen to them over and over again.

Other useful advice is to remain calm, to train the ear in by switching on TG4 as often as possible, by listening to Raidió na Gaeltachta beforehand and *bí ag caint as Gaeilge le do chairde go minic*!

Cleachtadh, cleachtadh, cleachtadh! (Practice!)

The purpose of this revision book is to prepare the Leaving Cert candidate for any situation: Oral, Paper One and Paper Two.

If you follow the directions throughout this book, you should be prepared for any situation. My key advice to you is to study!

Ádh mór oraibh sa scrúdú!

1 ⬡ An Bhéaltriail/*The Oral*
(40% – 240 marc)

- To be able to approach your oral exam with confidence.
- To understand the format of the oral exam, and to be prepared for each of the tasks.

Breakdown of the Oral exam marks

1. The greeting — *5 mharc*
2. The reading of a poem you have studied — *35 marc*
3. A series of pictures that you must describe — *80 marc*
4. A conversation about everyday things about you — 120 *marc*

Total: 240 marks

- The Oral is worth 40% of your overall result in your Irish exam.
- The Oral should last about 15 minutes.
- It will start off with a general greeting worth 5 marks.
- Next will be a reading of one of the 5 poems on the poetry course you are doing. This is worth 35 marks.
- The third part of the Oral entails describing a series of pictures, and is worth 80 marks.
- The final part of the Oral will consist of a conversation about normal everyday things, and is worth 120 marks.
- All orals will be taped by the examiner to allow the Department of Education and Skills to monitor marks.
- Long-term preparation is essential.
- Try to study one major heading per week and to prepare sample answers on that topic *mar shampla*: *An scoil.*
- Prepare sample answers on all the questions contained in this chapter and retain them in a special notebook for future reference.
- Broaden your answers as much as you can!
- Don't wait for the examiner to ask 'Cén fáth?'!
- The more you talk, the more marks you get!

1. Beannú/*Greeting* (5 marks)

Key point

As soon as you walk into the oral examination, it has begun! Show the examiner that you can greet them *as Gaeilge*.

🔘 *Rian 1*

Listen to the following sample on your CD
Éist go cúramach!

Examiner/Scrúdaitheoir: Dia Duit: (*Hello*)

Student/Dalta: Dia 's Muire duit: (*Hello to you*).

Scrúdaitheoir: Cad é mar atá tú inniu?

Dalta: Táim ceart go leor, beagáinín neirbhíseach! (*I'm all right, a little nervous*) agus tú féin?

Scrúdaitheoir: Táim go breá; cad is ainm duit?

Dalta: _____ is ainm dom.

Scrúdaitheoir: Anois a _____, cad iad na dánta a d'ullmhaigh tú?

Dalta: D'ullmhaigh mé ...

- An Spailpín Fánach
- An tEarrach Thiar
- Colscaradh
- Géibheann
- Mo ghrá-sa (idir lúibíní)

Scrúdaitheoir: Ar aghaidh leat leis 'An Spailpín Fánach'.

Key point

Of course, here you can vary your answer:

Táim ...

- i mbarr na sláinte: *in top form*
- ar mhuin na muice: *doing great*
- ar fheabhas: *excellent*
- go hainnis: *desperate*
- i ndrochshlí: *in a bad way*

The examiner may ask you your age at this early stage as well. Look to the initial part of the comhrá section on page 26 to see how to put your age together.

Scrúdaitheoir: Cén aois thú?

Dalta: Táim seacht mbliana déag d'aois. Rugadh mé ar an triú lá de mhí an Mheithimh, nócha dó.

Key point

This is a very handy 5 marks to pick up! Practise at home saying different answers so it is as natural as possible.

2. Léamh nó Aithris Filíochta/ *Reading or reciting a Poem* (35 marks)

Advice:

Prepare one poem a week between September and January. Read the same poem each night and write the phonetic spellings above the difficult words to assist with pronunciation. If you can excel in this part of the oral exam, your marks and confidence will be a lot better approaching the main part of the exam.

Remember to say which poem you are reading, the name of the poem and poet!

Marks are awarded here for rhythm, pronunciation and understanding.

Practice makes perfect!

In this part of the exam (after you have come in and greeted the examiner) you are asked to read about ten lines of a poem that the examiner will choose from the collection of poetry on your course of study.

- Pronounce it accurately.
- These marks are easy to get as long as you have prepared.
- Show an accurate rhythm and correct pronunciation of the poem.
- These should be read aloud at home to make them sound as natural as possible!

As you would with anything, introduce the poem clearly!

There are five poems and you will be asked to read one. These are available on the CD that accompanies this book.

- An Spailpín Fánach (*The Wandering Labourer*) ní fios cé a chum an dán séo (*We don't know who composed this poem*)
- An tEarrach Thiar (*Springtime in the West*) le Máirtín Ó Direáin
- Mo Ghrá-sa (idir lúibíní) (*My love (in brackets)*) le Nuala Ní Dhomhnaill
- Colscaradh (*Divorce*) le Pádraig Mac Suibhne
- Géibheann (*Captivity*) le Caitlín Maude

Mar shampla:

Dán a haon: (see p. 6) **An Spailpín Fánach**/*The Wandering Labourer*: **véarsa a haon go dtí a trí, ní fios cé a chum an dán** (*we don't know who composed the poem*)

 Rian 2

Listen to the poem on your CD as you are reading it: *Éist go cúramach*!

- It is important for you to understand what the poem is about in order to read it clearly, so read the English version first!
- As this poem is very long, you will only be required to read two verses

Véarsa a haon

imm spawl-peen fawn-nock
Im spailpín fánach atáim le fada,

egg shas-ave air mo hil-awn-ta
ag seasamh ar mo shláinte,

egg shoe-il awn drew-ockta go muc ar maw-din
ag siúl an drúchta go moch ar maidin

iss egg ball-you gal-ear raw-ha
's ag bailiú galair ráithe;

Ock glock-ad fees o ree naw gráwpies
ach glacfad fees ó rí na gcroppies,

klet is pick hun saw-ita
cleith is píc chun sáite

iss go brawk areesh ní glay-far man-im
's go brách arís ní ghlaofar m'ainm

Sa tear sho awn spawlpeen fawn-nock
sa tír seo, an spailpín fánach.

Verse one

A wandering labourer I have been for a
  long time,

Depending on my good health,

Walking the dew in the early morn,

And picking up seasonal diseases;

But I would accept fees from the king of
  the croppies,

A club and a pike for stabbing

And never again will my name be called
  out

In this country, the wandering labourer.

Véarsa a dó

baw vin-ik mu hree-il gu cloonn yal mal-la
Ba mhinic mo thriall go Cluain gheal
  Meala

issawh-s shin gu tib-rid- awh-ran
's as sin go Tiobraid Árann;

garr-ig na sure-a hee-us duh g-yar-awn
i gCarraig na Siúire thíos do ghearrainn

kursa la-hin law-dir
cúrsa leathan láidir;

i Gall-awn guh d-loo is muh hoosh-ta glawk
i gCallainn go dlúth 's mo shúiste im ghlaic

egg dúll kun túsíg care-d low
ag dul chun tosaigh ceard leo

is nur a hame guh dur-lass is eh shoe-id a
  veen aw-gum
's nuair théim go Durlas 's é siúd bhíonn
  agam —

shin hu-ib awn spawlpeen fawn-nock
'sin chu' ibh an Spailpín Fánach.

Verse two

I often travelled to bright Clonmel

From there to Tipperary town;

In Carrick-on-Suir I used to cut

Meadows, wide and strong

In Callan closeby my thresher in my fist

Going at my trade

When I go to Thurles I hear them call

Here comes the wandering labourer!

> **key point**
>
> Read the blue print above each line of the poem to help with pronunciation.

Véarsa a trí	Verse three
go joe joe areesh ne rawg-id guh cásh-il	
Go deo deo arís ní raghad go Caiseal	Never never again will I go to Cashel
deal wreck hil-awn-ta	
Ag díol ná ag reic mo shláinte	selling and squandering my health
Naw air var-ga naw seera- im he cush balla	Or on the market-day sitting beside the
Ná ar mhargadh na saoire im shuí cois balla	wall
Im sq-ween sa ar lat ave shraw-da	
Im scaoinse ar leataoibh sráide	tall and scrawny at the side of the street
budar-y tea-ocht gawp-ill	
Bodairí na tíre ag *tíocht* ar a gcapaill	while wealthy men pass on horseback
ee-ya free here-all-ta	
Á fhiafraí an bhfuilim hireálta	asking if I have been hired
tey-nam hun shoe-il, taw awn kursa fada	Then saying 'come with them, it's a long
'téanam chun siúil, tá an cúrsa fada'	way'
shoe-id hoe-il ar awn spawlpeen fawn-nock	
siúd siúl ar an spailpín fánach.	and away walks the wandering labourer.

Dán a dó:

An tEarrach Thiar (tar-ock here)/*Springtime in the West*
le Máirtín Ó Direáin (deer-aw-in)

 Rian 3

Listen to the poem on your CD as you are reading it:
Éist go cúramach!

Véarsa a haon	Verse one
glawna crey	
Fear ag glanadh cré	A man cleaning the clay
de gim-shawn spaw-da	
De ghímseán spáide	From the tread of a spade
g-youn-as hay-iv	
Sa gciúineas shéimh	In the gentle quiet
m-ruw-hil lay:	
I mbrothall lae:	Of the heat of the day
bin awn ooh-im	
Binn an fhuaim	Melodious the sound
san are-ock here	
San Earrach thiar.	In the Springtime in the west.

Véarsa a dó	Verse two
far egg kaw-ha	
Fear ag caitheadh	A man throwing down a basket
kleave gaw grim,	
Cliabh dhá dhroim,	from his back
is am-win yar-ag	
Is an fheamainn dhearg	The red seaweed
ag lun-ru	
Ag lonrú	Shining
i dán-iv gráin-a	
I dtaitneamh gréine	In the sun's brightness
air gurling wahn	
Ar dhuirling bháin.	On the white stony beach
kneeve-rock an rye-urck	
Niamhrach an radharc	A lustrous sight
san are-ock here	
San Earrach thiar.	In the Springtime in the west.
Véarsa a trí	Verse three
min-aw i luck-aw-in	
Mná i locháin	Women in pools
e-ock-tar yee-a hraw	
In íochtar diaidh-thrá,	In the lowest tide
goat-ie crop-ha	
A gcótaí craptha,	Their coats rolled up
scaw-lee he-us fu-who	
Scáilí thíos fúthu:	Reflections down below them
tawv rye-urck she-ach	
Támh-radharc síothach	Peaceful, restful vision
san are-ock here	
San Earrach thiar.	In the Springtime in the west.

Véarsa a ceathair	Verse four
Tole-vwill-ie fan-a	
Toll-bhuillí fanna	Weak, hollow beating
mod-ie raw-va	
Ag maidí rámha	Of the oars
kur-och lawn day-isk	
Currach lán d'éisc	A currach full of fish
egg tea-ocht clod-dig	
Ag teacht chun cladaigh	Coming ashore
ar or v-wir voll	
Ar ór-mhuir mhall	Over the golden sea
n-yera lay	
I ndeireadh lae;	At the end of the day
san are-ock here	
San Earrach thiar.	In the Springtime in the west.

Dán a trí:

Mo Ghrá-sa (idir lúibiní)(mo graw-sa (idir lube-een-ie))/
My Love (in brackets) **le Nuala Ní Dhomhnaill** (go-nall)

 Rian 4

Listen to the poem on your CD as you are reading it:
Éist go cúramach!

Véarsa a haon	Verse one
neel mo gráw-sa	
Níl mo ghrá-sa	My love isn't
mar vill-law nore-nie	
Mar bhláth na n-airní	Like a sloe-flower
a vee-un inar-deen	
A bhíonn i ngairdín	That is in a garden
no ar crown ar bih	
(nó ar chrann ar bith)	(or on any tree)

Véarsa a dó	Verse two
gu-whale	
Is má tá aon ghaol aige	If he has any relationship
no-neen-nie	
Le nóiníní	To daisies
chu-loose-a a aws hig she-ud	
Is as a chluasa a fhásfaidh siad	It will be from his ears they will grow
veg *d-ruth she-us*	
(nuair a bheidh sé ocht dtroigh síos)	(when he will be eight foot under the ground)
Véarsa a trí	Verse three
nee hane glaw-sa key-ole-var	
Ní haon ghlaise cheolmhar	His eyes are
e-ad hule- ya	
Iad a shúile	no musical stream
row-hone-garack daw kayla	
(táid ró-chóngarach dá chéile	(they are too close together
gay-id dúll she-us	
ar an gcéad dul síos)	in the first place)
Véarsa a ceathair	Verse four
sh-lim eh she-uda	
is más slim é síoda	And if silk is sleek
rib-ie a gru-iga	
tá ribí a ghruaige	The strands of his hair
van gov	
(mar bhean dhubh Shakespeare)	(like Shakespeare's black widow)
dell-guh-nee	
ina *wire* deilgní	are like barbed wire
Véarsa a cúig	Verse five
come a	
Ach is cuma sin.	But that doesn't matter
Ooh-la	
Tugann sé dom Úlla	He gives to me apples
n-ya-wee mar, cware a fin-una	
(is nuair a bhíonn sé i ndea-ghiúmar caora fíniúna)	(and when he is in good humour he gives me grapes)

Dán a Ceathair:

Colscaradh (cul-scar-a)/*Divorce* **le**
Pádraig Mac Suibhne (sieve-na)

 Rian 5

Listen to the poem on your CD as you are reading it:
Éist go cúramach!

Véarsa a haon	Verse one
han-tig	
Shantaigh sé bean	He desired a woman
I nad a kin-a	
I nead a chine	In the nest of the home
f-wee shiv is gan	
Faoiseamh is gean	Ease and love
Ar lack a hin a	
Ar leac a thine,	At the fireside
at-tis is gran	
Aiteas is greann	Fun and humour
I doe-g-awl hlin-ya	
I dtógáil chlainne.	Bringing up a family.
Véarsa a dó	Verse two
Han-tig	
Shantaigh sí fear	She desired a man
Is tave den vreesh-ta	
Is taobh den bhríste	Half of the trousers
dee-din is shark	
Dídean is searc	Shelter and love
Is lah den hee-shta	
Is leath den chíste,	And half of the money
har-lar	
Saoire thar lear	Holidays abroad
Is mass na meel-ta	
Is meas na mílte.	And the respect of thousands.
Véarsa a trí	Verse three
hawng-us ray-tock	
Thángthas ar réiteach.	They came to a solution.
Scar-a-dar	
Scaradar.	They separated.

Dán a cúig:

Géibheann (gave-in)/*Captivity* le Caitlín Maude

key point

Now knowing the subject of each poem, use this information to express yourself while reading the poem!
Go n-éirí leat!

Rian 6

Listen to the poem on your CD as you are reading it: *Éist go cúramach!*

ann-a-v
Ainmhí mé

I'm an animal

ann-a-v all-ta
Ainmhí allta

A wild animal

t'yo- cras-sa
As na teochreasa

Out of the tropics

    clue agus coyle
A bhfuil clú agus cáil

Famous and renowned

    scave
Ar mo scéimh

For my beauty

kruth hing creen-ta na quilla
Chroithfinn crainnte na coille

I used to shake the trees of the woods

traw
Tráth

Once

    gaa-ir
Le mo gháir

With my roar

Ach anois

But now

lee-im
Luím síos

I lie down

   brat-nee-im   la-who-il
Agus breathnaím trí leathshúil

And I look through one eye

    aon—rick sin hall
Ar an gcrann aonraic sin thall

At the solitary tree over there

    kade-ta
Tagann na céadta daoine

Hundreds of people come

quilla law
Chuile lá

Every day

  yenhig
A dhéanfaidh rud ar bith

Who will do anything

Dom

For me

    lig-in
Ach mé a ligean amach.

Except let me out.

3. Sraith pictiúr/*Series of pictures* (80 marks)

Here you are required to describe a series of **six pictures**. The examiner will give you **two minutes** to look over, and prepare mentally, what you are going to say. This is expected to take approximately four minutes!

The examiner is looking for interaction; be able to answer three individual questions about each picture.

The *Scrúdaitheoir*/Examiner should start with: *Déan cur síos ar an sraith pictiúr atá os do chomhair* (describe the series of pictures in front of you).

- Think before you talk
- Keep it in the present or past tense only!
- Aim for four sentences per picture.

Take a few minutes to prepare yourself.

Go to page 40 to get the rules of how to form the present tense. The point of this part of the exam is to test your knowledge of vocabulary, interaction and your grammar skills.

To be really prepared for this part of the exam, you must develop your *stór focal*/vocabulary.

The pictures and examples on the following pages are **generic examples** for you to **practise** with, based on **common themes** that come up in the exam. The specific samples you will be tested on will change every two years.

The Gluais boxes in this section provide the English translation for the Irish words and phrases in bold. Use them to help you understand.

The 20 picture sequences to be used in the oral examination, with sample answers, can be found on www.moresuccess.ie. Just enter the title of this book in the search facility, go to the book's page and download the '**Sraith Pictiúr**' file under the heading 'Additional Resources'.

Sraith a haon. Oíche den chéad scoth: *A top-class night out*

 Rian 7

Listen to the description on your CD as you are reading it: *Éist go cúramach!*

Pictiúr a haon:

1. Sa chéad phictiúr, tá cailín sa seomra leaba. Tá an raidió ar siúl **ós ard**.
2. Tá sí ag staidéar agus ag éisteacht leis an gcomórtas ar an raidió.
3. Tá **guth an láithreora** ag labhairt a hainm.
4. Tá dhá thicéad **buaite** aici don cheolchoirm san O_2. Tá sí **ar bís**.

Gluais

ós ard: *out loud*	Buaite: *won*
Guth an láithreora: *presenter's voice*	Ar bís: *excited*

Pictiúr a dó:

1. Sa dara pictiúr, tá beirt sa phictiúr.
2. Tá an cailín leis na ticéid agus a cara ar an traein.
3. Tá siad **ar a slí** go dtí an O_2.
4. Tá siad ag caint agus **ag súil leis** an gceolchoirm.

Gluais

Ar a slí: *on their way*	Ag súil leis: *looking forward to*

Pictiúr a trí:

1. Sroicheann siad an áit. Tá sé dubh le daoine.
2. Tá **scuaine** mór ann. Fanann siad sa scuaine.
3. Tá an bheirt **acu ag crith le háthas.**
4. Faoi dheireadh, téann siad isteach.

Gluais

Scuaine: *queue*	Ag crith le háthas: *shaking with happiness*

Pictiúr a ceathair:

1. Sa cheathrú pictiúr tá an cheolchoirm ar siúl.
2. Tá Pink ar an **stáitse** agus tá an slua an-sásta.
3. Tá gach duine ag damhsa agus ag canadh.
4. Tugann siad **bualadh bos** di.
5. Baineann na cailíní **a lán taitnimh** as an oíche.

Gluais

Stáitse: *stage*	Bualadh bos: *clap*
A lán taitnimh: *a lot of enjoyment*	

Pictiúr a cúig:

1. Téann an bheirt acu go dtí an bhialann **ina dhiaidh sin.**
2. Tá ocras an domhain orthu.
3. Tá siad **tuirseach traochta.**
4. Cuireann cailín amháin glao fóin ar a Mam chun **síob** abhaile a fháil.

Gluais

Ina dhiaidh sin: *afterwards*	Síob: *lift*
Tuirseach traochta: *wrecked tired*	

Pictiúr a sé:

1. Sa séú pictiúr, tá an bheirt ina seomra leaba.
2. Tá tuirse orthu ach labhraíonn siad le chéile faoin oíche.
3. **Seinneann** siad Pink ar an **seinnteoir.**
4. **Titeann** siad ina gcodladh.

Gluais

Seineann: *play*	Titeann: *fall*
Seinnteoir: *player*	

Sraith a dó. Déagóirí amaideacha: *Foolish teenagers*

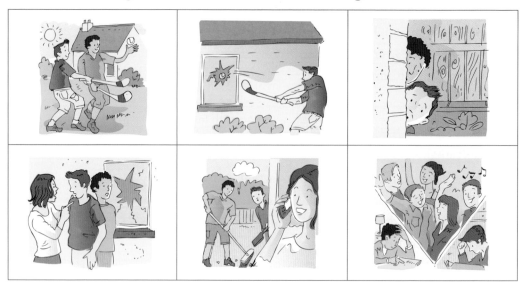

 Rian 8

Listen to the description on your CD as you are reading it: *Éist go cúramach!*

Pictiúr a haon:

1. Sa chéad phictiúr, lá breá brothallach atá ann.
2. Tá Séamus agus Tomás ar saoire ón scoil.
3. Imríonn siad **iománaíocht** sa ghairdín ar chúl an tí.
4. Tá sliotar acu agus níl siad **ag tabhairt aire**.

Gluais

Iománaíocht: *hurling*	Ag tabhairt aire: *taking care*

Pictiúr a dó:

1. Sa dara pictiúr, go tobann, buaileann Séamus an sliotar.
2. Buaileann sé an fhuinneog sa seomra suí.
3. Tá an fhuinneog **i smidiríní** ar an talamh.
4. Tá na buachaillí **buartha**.

Gluais

I smidiríní: *in bits*	Buartha: *worried*

Pictiúr a trí:

1. Sa tríú pictiúr, ritheann na buachaillí.
2. Téann siad **i bhfolach** ar chúl an tí in aice leis an ngaráiste.
3. Tá siad **an-bhuartha**.

4. Tagann an mháthair amach go dtí an gairdín.

5. Feiceann sí an fhuinneog agus tá sí **ar buile**.

Gluais

I bhfolach: *hiding*	Ar buile: *mad*
An-bhuartha: *really worried*	

Pictiúr a ceathair:

1. Faigheann an mháthair an bheirt.

2. **Tugann sí amach** dóibh.

3. Tugann sí iad go dtí an fhuinneog.

4. Tá sí an-chrosta.

5. Tógann sí a gcamáin.

6. Tá **gloine** i ngach áit.

Gluais

Tugann sí amach: *she gives out*	Gloine: *glass*

Pictiúr a cúig:

1. Sa chúigiú pictiúr, scuabann na buachaillí an gloine suas.

2. Níl an buachaill **ag fáil** airgid póca an tseachtain seo mar **íocfaidh sé as** an bhfuinneog.

3. Sa phictiúr, tá an mháthair ar an bhfón istigh ag caint le máthair an bhuachalla eile.

4. **Insíonn** sí di cad a tharla.

Gluais

Ag fáil: *getting*	Insíonn sí: *she tells*
Íocfaidh sé: *he will pay*	

Pictiúr a sé:

1. Sa séú pictiúr, tá dhá **íomhá**, sa chéad phictiúr, tá na buachaillí istigh, oíche Shathairn atá ann.

2. Níl **cead** acu dul amach lena gcairde.

3. Sa dara pictiúr, tá a gcairde go léir ag an dioscó ag damhsa.

4. Tá brón ar na buachaillí.

Gluais

Íomhá: *image*	Cead: *permission*

Sraith a trí. Cuairt ar an bhfiaclóir: *Visit to the dentist*

  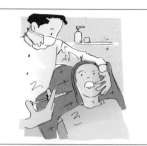

Ná bí ag ithe rudaí crua agus rudaí míshláintiúla arís.

 Rian 9

Listen to the description on your CD as you are reading it: *Éist go cúramach*!

Pictiúr a haon:

1. Sa chéad phictiúr, itheann an cailín a lán bia **mhíshláintiúil**.
2. Itheann sí criospaí, seacláid agus brioscaí. Ólann sí liománáid.
3. Go tobann, tá pian ina béal. Tá a **fiacla ag cur isteach uirthi**.
4. Cuireann a Mam glao fóin ar an bhfiaclóir agus déanann sí **coinne** leis.

Gluais

Míshláintiúil: *unhealthy*	Coinne: *appointment*
Fiacla ag cur isteach uirthi: *teeth are annoying her*	

Pictiúr a dó:

1. Sa dara pictiúr, fanann an cailín bocht sa **seomra feithimh**.
2. Tá a Mam in éineacht léi.
3. Tá an seomra feithimh an-chiúin.
4. Tá **cuma bróin** ar gach duine.
5. Tá an cailín **ag crith le heagla**, tá eagla uirthi.

Gluais

Seomra feithimh: *waiting room*	Ag crith le heagla: *shaking with fear*
Cuma bróin: *sad appearance*	

Pictiúr a trí:

1. Sa tríú pictiúr, téann sí isteach.
2. Tá an fiaclóir an-chairdiúil.
3. Ach fós tá an cailín buartha.
4. Suíonn sí ar an gcathaoir mhór. **Scrúdaíonn** an fiaclóir ar a fiacla.
5. Tá poll mór ina fiacail.
6. Tá masc air agus instealladh ina lámh.
7. Tá an cailín **beagnach** ag caoineadh.

Gluais

Scrúdaíonn: *examines*	Beagnach: *almost*

Pictiúr a ceathair:

1. Tagann an t-othar (nó an cailín) amach.
2. Tá a lámh ar a **leiceann** agus tá dath dearg air.
3. Tá **sí i bpian** fós.
4. Deir an fiaclóir 'ná bí ag ithe rudaí crua agus **rudaí míshláintiúla** arís'.

Gluais

Leiceann: *cheek* I bpian: *in pain*	Rudaí míshláintiúla: *unhealthy things*

Pictiúr a cúig:

1. Sa chúigiú pictiúr, déanann an cailín **coinne** leis an **bhfáilteoir** ar **a slí** amach.
2. Beidh sí ar ais tar éis seachtaine.
3. Ansin, téann sí go dtí an **poitigéir** agus tugann sí **a hoideas** dó.
4. Faigheann sí piollaí chun an pian a stopadh.

Gluais

Coinne: *appointment* Fáilteoir: *receptionist* A slí: *her way*	Poitigéir: *pharmacist* A hoideas: *her prescription*

Pictiúr a sé:

1. Sa séú pictiúr, tá an cailín ag siopadóireacht san ollmhargadh.
2. Tá sí ag féachaint ar an seacláid atá **ar díol** agus ar an **toradh** atá ar díol in aice leis.
3. **Roghnaíonn** sí an toradh, piocann sí úll suas.
4. Tá **feabhas** uirthi ach níor mhaith léi dul ar ais!

Gluais

Ar díol: *for sale* Toradh: *fruit*	Roghnaíonn: *chooses* Feabhas: *improvement*

Sraith a ceathair. Teach trí thine: *House on fire*

 Rian 10

Listen to the description on your CD as you are reading it: *Éist go cúramach*!

Pictiúr a haon:

1. Tá buachaill amuigh ag siúl faoin tuath.
2. Tá an ghrian ag taitneamh.
3. Tá madra aige.
4. Go tobann, tosaíonn an madra **ag tafann gan stad**.
5. Tá **líonrith** air.

Gluais

Ag tafann gan stad: *barking non-stop*	Líonrith: *panic*

Pictiúr a dó:

1. Sa dara pictiúr, ritheann an madra go dtí **an claí**.
2. Leanann an buachaill **ina dhiaidh**.
3. Feiceann sé **lasracha**, tá teach trí thine.
4. Tá eagla ar an mbuachaill.

Gluais

An claí: *the ditch*	Lasracha: *flames*
Ina dhiaidh: *after him*	

Pictiúr a trí:

1. Sa tríú pictiúr, ritheann an buachaill chuig an teach.
2. Tá lasracha **ar fud na háite**.
3. Féachann sé tríd an bhfuinneog.
4. Ar **ámharaí an tsaoil**, níl aon duine istigh.

Gluais

Ar fud na háite: *around the place*	Ar ámharaí an tsaoil: *luckily*

Pictiúr a ceathair:

1. Sa cheathrú pictiúr, cuireann an buachaill fios ar an m**briogáid dóiteáin**.
2. Deir sé go bhfuil teach trí thine agus chun teacht go luath.
3. Tá an madra **fós** ag tafann.

Gluais

Bríogáid dóiteáin: *fire brigade*	Fós: *still*

Pictiúr a cúig:

1. Sa chúigiú pictiúr, tagann an briogáid dóiteáin go luath ina dhiaidh sin.
2. Tá **píobán** acu agus **dréimire.**
3. **Múchann** siad an tine.

Gluais

Píobán: *hose*	Múchann siad: *they quench*
Dréimire: *ladder*	

Pictiúr a sé:

1. Sa séú pictiúr, tá an tine **múchta**.
2. Tagann na daoine a chónaíonn sa teach sin ar ais.
3. Tá **faoiseamh** orthu mar níl a lán damáiste déanta.
4. Níl éinne gortaithe, **buíochas le Dia**.
5. Gabhann na daoine buíochas leis an mbuachaill.

Gluais

Múchta: *quenched*	Buíochas le Dia: *thank God*
Faoiseamh: *relief*	

Sraith a cúig. Turas scoil go dtí an Ghaeltacht: *A school tour to the Gaeltacht*

 Rian 11

Listen to the description on your CD as you are reading it: *Éist go cúramach*!

Pictiúr a haon:

1. Sa chéad phictiúr, tá daltaí scoile ag féachaint ar phóstaer ar an mballa sa scoil.
2. Tá **fógra** ann don Ghaeltacht ar feadh seachtaine.
3. **Síníonn** na déagóirí **a n-ainmneacha** ar an rolla.
4. Tá siad **ar bís.**

Gluais

Fógra: *notice*	A n-ainmneacha: *their names*
Síníonn: *sign*	Ar bís: *excited*

Pictiúr a dó:

1. Sa dara pictiúr, tá an scoil dubh le daoine.
2. Tugann na tuismitheoirí **síob** dá bpáistí chuig an scoil.
3. Fágann siad slán leo agus léimeann siad ar an mbus.
4. Tá atmaisféar **corraitheach** ann.

Gluais

Síob: *lift*	Corraitheach: *exciting*

Pictiúr a trí:

1. Sa tríú pictiúr, téann an bus go dtí an Ghaeltacht.

2. Canann na déagóirí le chéile **ós ard** agus tá a lán craic acu.

3. Tá siad faoin tuath. Tá an ghrian ag taitneamh.

4. Tá Coláiste Chiaráin **gar** dóibh.

Gluais

Ós ard: *out loud*	Gar: *close*

Pictiúr a ceathair:

1. Sa cheathrú pictiúr, ar maidin.

2. Téann na daltaí scoile go dtí ranganna óna a naoi go dtí a dó dhéag, ansin, imríonn siad cispheil, iománaíocht agus leadóg.

3. Tá a lán le déanamh.

4. Baineann siad taitneamh as.

Pictiúr a cúig:

1. Sa chúigiú pictiúr, tosaíonn céilí an oíche sin.

2. Tá gach duine ag damhsa le chéile.

3. Tá ceol le cloisteáil.

Pictiúr a sé:

1. Sa séú pictiúr, tagann an bus agus na daltaí scoile abhaile.

2. Tá siad go léir tuirseach traochta.

3. **Fanann** a dtuismitheoirí ann.

4. Tugann siad síob abhaile dóibh. Téann siad abhaile tar éis seachtaine iontach!

Gluais

Fanann: *wait*

Sraith a sé. Timpiste a tharla: *An accident that happened*

 Rian 12

Listen to the description on your CD as you are reading it: *Éist go cúramach*!

Pictiúr a haon:

1. Sa chéad phictiúr, tá an aimsir fliuch.
2. Tá sé ag stealladh báistí.
3. **Tiománann** fear sa lár.
4. Tá sé gnóthach.
5. Ólann an fear buidéal **fuisce**.
6. Tá sé **ar meisce**. **Sciorrann** sé ó thaobh go taobh.

Gluais

Ag tiomáint: *driving*	Sciorrann: *skids*
Ar meisce: *drunk*	Fuisce: *whiskey*

Pictiúr a dó:

1. Sa dara pictiúr, stopann an tiománaí ag na **soilse tráchta** ach tá sé **as smacht**.
2. Buaileann sé cailín óg.
3. Titeann sí ar an talamh.
4. Tá an fear **buartha**.
5. Léimeann sé as an gcarr.

Gluais

Soilse tráchta: *traffic lights*	Buartha: *worried*
As smacht: *out of control*	

Pictiúr a trí:

1. Sa tríú pictiúr, tá **slua** timpeall uirthi.
2. Cuireann duine **glao** fóin ar na Gardaí agus ar an ospidéal.
3. Tá an cailín **ag cur fola** gan stad.
4. Tá an tiománaí **ag crith** le heagla.

Gluais

Slua: *crowd*	Ag cur fola: *bleeding*
Glao: *call*	Ag crith: *shaking*

Pictiúr a ceathair:

1. Sa cheathrú pictiúr, sroicheann na Gardaí agus an t-otharcharr áit an uafáis.
2. Cuireann **na haltraí** an cailín ar **an síneán**.
3. Tá an fear (tiománaí) i dtrioblóid.
4. **Fiosraíonn** siad an scéal.

Gluais

Na haltraí: *the nurses*	Fiosraíonn: *investigate*
An sínteán: *stretcher*	

Pictiúr a cúig:

1. Sa chúigiú pictiúr, téann an tiománaí go dtí Stáisiún na nGardaí.
2. Deir sé go bhfuil brón air, tá sé ag caoineadh.
3. Cuireann na Gardaí ceisteanna air faoin mbuidéal atá aige.
4. **Tugann siad amach** dó.

Gluais

Tugann siad amach: *they give out*

Pictiúr a sé:

1. Sa séú pictiúr, tá **dhá íomhá** ann.
2. Sa chéad cheann, feictear an cailín ag fágáil an ospidéil.
3. Tá a cos **gortaithe** agus tá **maide croise** aici.
4. Sa dara pictiúr, tá an tiománaí i bpríosún, tá brón an domhain air.

Look at the conversation section next to broaden your vocabulary!

Gluais

Dhá íomhá: *two images*
Gortaithe: *hurt*

Remember these are just sample picture series for you to practise with. They are based on the common themes that come up in the exam. Use these to put together your own answers!

4. An comhrá/*The conversation* (120 marks)

aims
- To be able to approach the conversation part of The Oral with confidence.
- To use vocabulary from this section in all parts of the exam.

key point

These are just some of the basic questions to start you off; ideally, you should be able to collate all the information suggested below and say a solid piece about yourself.

For example, if asked *Cén aois thú?*, don't just say *sé bliana déag d'aois*; impress the examiner! Give as much as you can, by saying which month your last birthday was/next birthday will be.

exam focus

Examiners tend to pick a topic area from your answer and use it to lead to the next section of the Béaltriail.

All-rounder phrases

key point

creid é nó ná creid: *believe it or not*

thar a bheith: *extremely*

le cúnamh Dé: *with the help of God*

in ainm Dé: *in the name of God*

buíochas le Dia: *thank God*

a bhuí le: *thanks to*

caithfidh mé a rá: *I have to say*

is maith an scéalaí an aimsir: *time will tell*

i mo thuairim: *in my opinion*

mothaím go bhfuilim: *I feel I am*

gan aon dabht: *without any doubt*

a thuilleadh: *any more*

is léir dom: *it's clear to me*

ar buile: *mad/angry*

cuireann sé isteach orm: *it annoys me*

réitím go maith le: *I get on well with*

cuireann sé an croí trasna orm: *it sends my heart crossways*

cuireann sé déistin orm: *it disgusts me*

ar aon nós: *anyway*

áfach: *however*

When answering any question, the all-rounder phrases will add quality to your answer. I advise you to learn as many as possible.

These phrases should be reused throughout the paper — make life easier on yourself and learn three every night!

tá sé ar intinn agam: *I intend to*

is dóigh liom é: *I think so*

ar an gcéad dul síos: *firstly*

ar an dara dul síos: *secondly*

ar lámh amháin/ar an lámh eile: *on one hand/on the other hand*

ar leibhéal amháin: *on one level*

is mar a chéile muid: *we're the same*

faraor: *unfortunately*

ar ámharaí an tsaoil: *luckily*

thug mé faoi deara: *I noticed*

faoi dheireadh: *finally*

Vocabulary under topic headings

- Mé féin - M'áit chónaithe - An ceantar - An scoil
  - Caitheamh aimsire - Laethanta saoire - Gaeilge agus an Ghaeltacht
- Fadhbanna an déagóra

 Rian 13 agus 14

Listen to the sample *comhrá* on your CD and then fill in the details about yourself below.

 Rian 13: Comhrá, páirt a haon

The vocabulary lists provided in this chapter will help you in several areas throughout the written paper also.

Examiner: Cad is ainm duit?

Student: Is mise Liam ó Murchú.

Examiner: Cén aois thú?

Student: Táim seacht mbliana déag d'aois.

Examiner: **Cá bhfuil tú i do chónaí?**

Student: Cónaím anseo i gCluan tarbh, tá sé ar thaobh thuaidh na cathrach.

Examiner: Cén saghas tí atá agat?

Student: Tá teach sraithe agam.

Examiner: Ainmnigh na seomraí atá agaibh sa bhaile.

Student: Bhuel, fan go bhfeice mé … Tá, seomra suí, seomra leapa, cistin, fochistin, seomra bia, seomra folctha agus aileár i mo theach.

Examiner: An maith leat do theach?

Student: Is breá liom mo theach, tá sé compordach nua-aimseartha, galánta, néata agus ollmhór.

Examiner: Cad atá timpeall an tí?

Student: Ar chúl an tí, tá cró agus seid.

Ós comhair an tí, tá bláthanna agus cosán.

Examiner: Cad tá le déanamh i do cheantar?

Student: Tá a lán le déanamh i mo cheantar, tá ... gruagaire, teach tábhairne, garáiste, síopaí, séipéal, banc, siopa poitígéara, oifig an phoist, stáisiún na nGardaí, stáisiún traenach, scoileanna, leabharlann, ionad sláinte, bialann, páirc mhór, pictiúrlann, ollmhargadh, linn snámha, ospidéal, agus an ará.

Examiner: An maith leat do cheantar?

Student: Is aoibhinn liom mo cheantar mar tá sé gnóthach, glan, sábháilte, suaimhneach, cairdiúil, fáiltiúil agus áisiúil.

Examiner: Go breá, a Liam, cá bhfuil do theach?

Student: Cónaím ar imeall an bhaile san eastát tithíochta, trí mhíle ón scoil seo.

Examiner: is áit dheas í, gan dabht. Cad a dhéanann daoine óga agus seandaoine sa cheantar?

Student: Caithfidh me a rá go bhfuil a lán le déanamh do dhaoine óga anseo. Tá pictiúrlann, club óige, páirceanna, halla spóirt agus clubanna anseo. Tá a lán le déanamh do sheandaoine anseo. Tá páirceanna, halla bingó, seipéal, teach altranais agus Ionad lae.

Examiner: Anois a Liam, cá bhfuil tú ar scoil?

Student: Táim ag freastal ar Choláiste Naomh Muire anseo i gCluain Tarbh.

Examiner: Cá bhfuil sí suite?

Student: Tá sé ar bhóthar na Mara, trí mhíle ón lár.

Examiner: An maith leat an scoil seo?

Student: I ndáiríre is aoibhinn liom í!

Examiner: An bhfuil an scoil seo dian no ré-chúiseach?

Student: Tá a lán rialacha anseo, tá cosc ar thobac, ar alcól, ar an bhfón póca sa rang agus ar dhroch-iompar.

Examiner: An bhfuil éide scoile agaibh anseo?

Student: Tá, ar ndóigh. Caithimid briste gorm, geansaí dughorm, agus léine bhán.

Examiner: Cad iad na háiseanna atá le fáil sa scoil?

Student: Is iomaí áis atá le fáil anseo!

Tá ...   Saotharlann eolaíochta,

         Cistin,

         Carrchlós

         Oifig an Phríomhoide agus an LeasPhríomhoide,

         Seomraí ranga,

         Seomra Ceoil,

         Seomra Ealaíne,

         Seomra Adhmadóireachta,

         Seomra Miotalóireachta,

         Halla Gleacaíochta,

         Cúirteanna Cispheile,

         Páirc Imeartha agus

         Seomra Foirne.

Examiner: Ainmnigh na hábhair a dhéanann tú anseo?

Student: Bhuel, déanaim:

Gaeilge, ar ndóigh, Béarla, Mata, Stair, Tíreolaíocht, Miotalóireacht, Adhmadóireacht, Ealaín, Ceol, Coirpoideachás, Creideamh, Eolaíocht, Fisic, Ceimic, Fraincis, Spáinnis, Gearmáinis, Iodáilis agus Ríomhairí.

Examiner: Cén t-ábhar is fearr leat agus cén fath?

Student: Is breá liom Gaeilge mar tá sí éasca agus taitneamhach. Tá an múinteoir craiceáilte, cainteach, tuisceanach agus cothrom.

Examiner: Cad a dhéanfaidh tú tar éis na hArdteiste?

Student: Fanfaidh mé go bhfeicfidh mé. Braitheann gach rud ar thorthaí na hArdteiste. Ba mhaith liom a bheith i mo mhúinteoir méanscoile. Rachaidh mé go Coláiste na hOllscoile, Baile Átha Cliath. Mairfidh an cúrsa trí bliana. Táim ag tnúth go mór leis.

Examiner: Cad a dhéanann tú i d'am saor?

Student: Imrím spórt, féachaim ar an teilifís, ligim mo scíth. Chomh maith leis sin, téim ag siopadóireacht uaireanta, agus nuair atá an aimsir go breá, bainim taitneamh as a bheith ag seoltóireacht nó ag bádóireacht, agus ar ndóigh bím ag mainneáil thart ag bualadh suas le mo chairde ag dul amach. Tógaim sos ón staidéar go minic. Ligim mo scíth os comhair na teilifíse ar feadh tamaill. Tugann sé faoiseamh dom ón obair.

Examiner: An bhfaca tú aon chluiche le déanaí?

Student: Chonaic mé Cluiche Ceannais na hÉireann, Corcaigh agus Baile Átha Cliath. Bhí géariomaíocht eatarthu. Bhuaigh Corcaigh ar an drochuair. Chuamar abhaile croíbhriste.

Examiner: An imríonn tú d'aon fhoireann?

Student: Oh, imrím, is duine an-spórtúil mé agus imrím d'fhoireann na scoile. Imrím i lár na páirce ar an bhfoireann peile. Is spórt iontach é.

Examiner: An maith leat ceol?

Student: Is aoibhinn liom ceol, go háirithe rac-cheol. Seinnim na drumaí, an giotár agus an veidhlín, is duine an-cheolmhar me!

Examiner: An bhfaca tú aon cheolchoirm riamh?

Student: Ar ndóigh! Chonaic mé AC/DC san RDS, bhí sé thar a bheith taitneamhach. Bhí sé ar siúl i lár mhí an Mheithimh an bhliain seo caite. Chuaigh mé agus mo chara Seán. Cheannaigh mé na ticéid mar bhreithlá Sheáin a bhí ann. Bhí an banna go hiontach. Chaith mé mo chuid éadaigh is fearr agus shroicheamar ar a seacht. Sheinn siad gach amhrán ón albam nua agus chanamar go léir leo. Oíche iontach a bhí ann. Ag an deireadh, tháinig mo Mham agus chuamar abhaile go sona sásta.

Examiner: Cén clár teilifíse is fearr leat?

Student: Féachaim ar clár réaláchais, clár faisin, clár spóirt, clár faisnéise, clár cainte, sobalchláir, An Nuacht, scannáin, clár grinn, clár romansúil agus clár aiscean.

Examiner: An dtéann tú go dtí an phictiúrlann go minic?

Student: Téim ach tá sé costasach ach ag an am céanna corraitheach.

Examiner: Déan cur síos ar an scannán nó leabhar nó clár is fearr leat.

Student: Is é an *Hangover* an scannáin is fear liom. Scannáin grann atá ann agus tá an t-aisteoir is fear liom Bradley Cooper ann. Tá an scannán faoi oíche a chaith grúpa fear i Las Vegas agus mí-ádh a bhíonn orthu an lá dar gcionn. Caithfidh me a rá go raibh sé thar a bheith greannmhar.

Examiner: An mbíonn tú ar an ríomhaire gach tráthnóna tar éis scoile?

Student: Bím, de ghnáth. Tá sé áisiúil agus faisnéiseach.

Examiner: An bhfuil ríomhaire agat sa bhaile?

Student: Ar ndóigh, tá ríomhaire glúine againn sa bhaile, úsáidim é gach oíche do m'obair bhaile. Faighim eolas ón idirlíon. Bím ag íoslódáil ceol. Féachaim ar scannáin, agus bím ar MSM ag comhrá le mo chairde. Ta sé an-áisiúil, úsáideann mo Mham é chun billí leicteachais a íoc agus chun rudaí a chur in áirithe. Is áis an-oideachásúil é.

 Rian 14: Comhrá, páirt a dó

Examiner: An raibh tú riamh thar lear?

Student: Bhí mé.

Examiner: Cén tír?

Student: Chuaigh mé go dtí an Spáinn an bhliain seo caite. Gach lá, chuamar faoin tuath agus go dtí an fharraige gheal ghorm. Ar ndóigh! Bhí sé thar a bheith taitneamhach. D'fhan mé san óstán áitiúil i lár na cathrach. Chaith mé gach lá ag luí faoin ngrian, bhí mé ag siopadóireacht sa lár agus d'imir mé eitpheil ar an trá gach lá. Bhí mé ag an dioscó sa halla gach oíche. Cheannaigh mé éadaí nua agus bronntanais do mo chara. Bhain mé an-sult as.

Examiner: A Liam, an raibh tú riamh sa Ghaeltacht? Cá raibh tú?

Student: Bhí mé, sa Daingean i gContae Chiarraí.

Examiner: Ar fhoghlaim tú a lán?

Student: D'fhoghlaim mé a lán.

Examiner: Déan cur síos ar an tsaoire a bhí agat sa Ghaeltacht a Liam?

Student: Bhí sé ar fheabhas. Chuaigh mé go dtí an Daingean. Chaith mé trí sheachtain ann. Gach lá, ghlac mé páirt sna himeachtaí lae. D'imir mé spórt, d'fhoghlaim mé amhráin nua. Rinne mé cairdeas nua. D'fhan mé i dteach Mháire i lár an bhaile, bhí sí an-chairdiúil, an-chabhrach agus fíorchainteach! Bhí mo chroí briste ag teacht abhaile. Bhí mo chuid Gaeilge níos fearr.

Examiner: Cá rachaidh tú an Samhradh seo a Liam?

Student: Bhuel tógfaidh me sos fada ar dtús, rachaidh mé ar saoire le mo chairde go dtí an Fhrainc. Gheobhaidh mé post. Beidh mé lán sásta, agus beidh mo thorthaí agam. Le cúnamh Dé rachaidh mé go dtí ollscoil éigin ina dhiaidh sin.

Examiner: Go hiontach a Liam, an cheist dheireanach duit, conas atá saol an déagóra sa lá atá inniu ann?

Student: Bhuel, chun na fhírinne a rá, tá saol an déagóra an-deacair sa lá atá inniu ann. Tá strus orthu le scoil, bulaíocht, foréigean agus drugaí agus alcól. Tá a lán brú ar dhaltaí ar scoil mar tá bulaíocht ar siúl timpeall na scoile i gcónaí. Tá staidéar le déanamh acu an t-am ar fad agus tá brú óna dtuismitheoirí freisin.

Examiner: Sin é anois a Liam. Go n'éirí leat sna scrúdaithe agus sa todhchaí.

Student: Go raibh maith agat. Slán.

Mé féin/*Myself*

Fill in the spaces with details about yourself!

Cad is ainm duit? Is mise _____/_____is ainm dom.

Cén aois thú? Táim sé bliana déag d'aois/ seacht mbliana déag d'aois/ ocht mbliana déag d'aois.

Cá bhfuil tú i do chónaí? Cónaím anseo i _____, tá sé ar thaobh thuaidh (*northside*) na cathrach.

M'áit chónaithe/*Where I live*

Mo theach: Cén saghas tí atá agat?

Tá teach_____ agam.

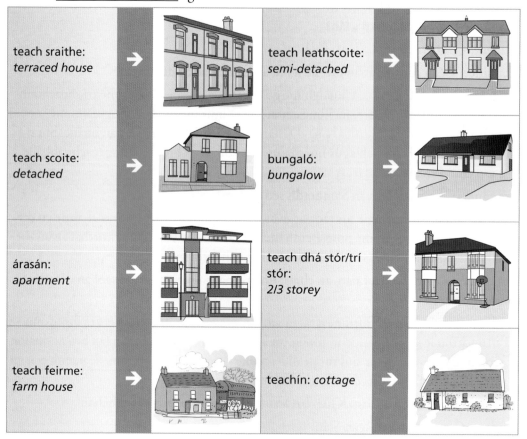

teach sraithe: *terraced house*	→	teach leathscoite: *semi-detached*	→
teach scoite: *detached*	→	bungaló: *bungalow*	→
árasán: *apartment*	→	teach dhá stór/trí stór: *2/3 storey*	→
teach feirme: *farm house*	→	teachín: *cottage*	→

Seomraí an tí: Ainmnigh iad/*Rooms of the house: Name them*

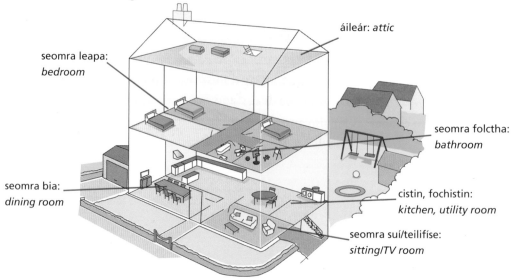

áileár: *attic*

seomra leapa: *bedroom*

seomra folctha: *bathroom*

seomra bia: *dining room*

cistin, fochistin: *kitchen, utility room*

seomra suí/teilifíse: *sitting/TV room*

Now, with all the information on the previous page, write your own answer making it as long as possible.

> Tá _____
>
> _____
>
> _____
>
> i mo theach.

Bain triail as! *Your turn!*

Anois **cén saghas tí atá agat?**

Cónaím i _____

_____

_____

_____

An maith leat do theach?

Is breá liom mo theach, tá sé compordach (*comfortable*)/nua-aimseartha (*modern*)/ galánta (*fancy*)/néata (*neat*)/ollmhór (*huge*)/seanaimseartha (*old-fashioned*)/ beag (*small*).

Ní maith liom mo theach, tá sé míchompordach (*uncomfortable*) agus salach (*dirty*)...

Timpeall an tí/*Around the house*

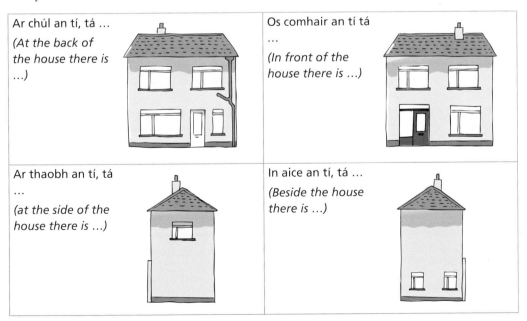

Ar chúl an tí, tá ... (At the back of the house there is ...)	Os comhair an tí tá ... (In front of the house there is ...)
Ar thaobh an tí, tá ... (at the side of the house there is ...)	In aice an tí, tá ... (Beside the house there is ...)

An ceantar/*The area*

Cad tá le déanamh i do cheantar?

Tá a lán le déanamh i mo cheantar, tá ...

Gluais

na háiseanna: *the facilities*
teach tábhairne: *pub*
garáiste: *garage*
síopaí: *shops*
séipeal: *church*
banc: *bank*
siopa poitigéara: *pharmacy*
oifig an phoist: *post office*
Stáisiún na nGardaí: *Garda station*
stáisiún traenach: *train station*
scoileanna: *schools*
leabharlann: *library*
ionad sláinte: *health centre*
bialann: *restaurant*
páirc mhór: *big park*
pictiúrlann: *cinema*
ollmhargadh: *supermarket*
linn snámha: *swimming pool*
ospidéal: *hospital*
an trá: *the beach*
siopa gruagaire: *hairdresser's shop*

An maith leat do cheantar?

Nóta: use some of the describing words from the house description on p. 33.

Is aoibhinn liom mo cheantar mar tá sé … (*I love*)		Is fuath liom mo cheantar mar tá sé … (*I hate*)	
	gnóthach (*busy*) glan (*clean*) sábháilte (*safe*) suaimhneach (*peaceful*) cairdiúil (*friendly*) fáiltiúil (*welcoming*) áisiúil (*handy*)		glórach (*noisy*) dainséarach (*dangerous*) trioblóideach (*troublesome*) garbh (*rough*) salach (*dirty*) míchairdiúil (*unfriendly*) iargúlta (*isolated*)

Cá bhfuil do theach? *Where is your house?*

Cónaím … *I live …*

Cad a dhéanann daoine óga agus seandaoine sa cheantar? *What do young people and old people do in your area?*

ar imeall an bhaile (*on the outskirts of town*)

lasmuigh den bhaile (*outside town*)

sa lár (*in the centre*)

san eastát tithíochta (*in the housing estate*)

With all the information above, you now should be able to put your own 'solid' answer together to a simple question like: **inis dom fút féin**: *tell me about yourself.*

SAMPLE ANSWER

Tá a lán le déanamh ag daoine óga anseo. Tá pictiúrlann, club óige, páirceanna, halla spóirt agus clubanna anseo: *There's a lot to do…*

Tá a lán le déanamh ag seandaoine anseo, páirceanna, halla biongó, séipéal, teach altranais (*old folks' home*), ionad lae (*day centre*): *There's a lot to do …*

> **Bain triail as**! *Your turn!*
>
> _____
> _____
> _____
> _____
> _____

An scoil/*The school*

Again, as before, an examiner could easily give you a very open question on *An Scoil*; it is up to you to interpret the question and to give a strong, solid answer.

Try to pick some phrases that are adaptable to a few different sections.

Cá bhfuil tú ar scoil?

Táim ag freastal ar_____.

Cá bhfuil sí?

Tá sí ar bhóthar_____i lár na cathrach/i lár an bhaile./*City centre/town centre.*

An maith leat an scoil seo?

I ndáiríre, is aoibhinn liom í!/*Seriously, I love it!* (Use adjectives already given to provide reasons for your answer.)

An bhfuil an scoil seo dian no réchúiseach?/*Is it a strict or easy-going school?*

Tá a lán rialacha anseo: tá cosc (*ban*) ar thobac, ar alcól, ar an bhfón póca sa rang, agus ar dhrochiompar (*bad behaviour*).

An bhfuil éide scoile agaibh anseo?/*Do you have a uniform?*

Tá/Níl. Caithimid bríste gorm, geansaí dúghorm agus léine bhán ...

Cad iad na háiseanna (*facilities)* **atá le fáil sa scoil?**

Is iomaí áis atá le fáil anseo!(*There are many facilities here!*) Tá ...

key point

Before doing an answer on this area, I recommend you take a look back over the opinions and vocabulary already provided in the *An ceantar* section.

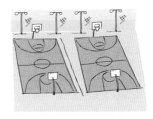

Gluais

saotharlanna eolaíochta: *science labs*

cistin: *kitchen*

carrchlós: *carpark*

Oifig an Phríomhoide agus an Leas-Phríomhoide: *Principal's and Vice Principal's Office*

seomraí ranga: *classrooms*

seomra ceoil: *music room*

seomra ealaíne: *art room*

seomra adhmadóireachta: *woodwork room*

seomra miotalóireachta: *metalwork room*

halla gleacaíochta: *gym*

cúirteanna cispheile: *basketball courts*

páirc imeartha: *playing field*

seomra foirne: *staffroom*

Ainmnigh na hábhair a dhéanann tú anseo. *Name your subjects.*

Déanaim:

Gaeilge, ar ndóigh(*of course*), Béarla, Mata, Stair, Tíreolaíocht, Miotalóireacht, Adhmadóireacht, Ealaín, Ceol, Corpoideachas, Creideamh, Eolaíocht, Fisic, Ceimic, Fraincis, Spáinnis, Gearmáinis, Iodáilis agus Ríomhairí.

Cén t-ábhar is fearr leat? Cén fáth?

Is breá liom_____ mar tá sé …

deacair: *hard*	éasca: *easy*
taitneamhach: *enjoyable*	leadránach: *boring*
greannmhar: *funny*	dúshlánach: *challenging*

Tá an múinteoir …

craiceáilte: *crazy*	leisciúil: *lazy*	cainteach: *talkative*
tuisceanach: *understanding*	cothrom: *fair*	neamhchothrom: *unfair*
crosta: *cross*	cantalach: *cranky*	soiléir: *clear*
doiléir: *unclear*	réchúiseach: *easy-going*	dian: *strict*
praiticiúil: *practical*	cairdiúil: *friendly*	

Cad a dhéanfaidh tú tar éis na hArdteiste? *What will you do after the Leaving Cert?*

- Fanfaidh mé go bhfeicfidh mé: *I will wait and see.*
- Braitheann gach rud ar thorthaí na hArdteiste: *It all depends on L.C results*
- Ba mhaith liom a bheith i mo_____ *I'd like to be a …*

dlíodóir: *lawyer*	dochtúir: *doctor*	múinteoir: *teacher*
meicneoir: *mechanic*	feighlí leanaí: *childminder*	cearpantóir: *carpenter*
cuntasóir: *accountant*	gruagaire: *hairdresser*	innealtóir: *engineer*

Insert a 'h' into career name when preceded by 'mo'. Mar shampla: 'i mo dhlíodóir', 'i mo dhoctúir'.

- Rachaidh mé go …

Coláiste na hOllscoile, Baile Atha Cliath: UCD

Coláiste Naomh Pádraig: St. Pats

Coláiste na Tríonóide: Trinity College

Ollscoil na hÉireann, Gaillimh: NUIG

Ollscoil Luimnigh: UL

Ollscoil na hÉireann, Corcaigh: UCC

Institiúid Teicneolaíochta Luimnigh/ Shligigh/Cheatharlach: LIT, SIT, CIT

- Mairfidh an cúrsa trí bliana/ceithre bliana/cúig bliana: *the course will last …*

With all the information above you now should be able to put your own 'solid' answer together to a simple question like: **Inis dom faoi do scoil:** *Tell me about your school*

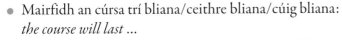

Try your best to use a few different verbs and be ready to hop from tense to tense.

Bain triail as! *Your turn!*

_____

_____

_____

_____

_____

In order to succeed at the Oral, you need to know your verbs very well. This requires all your tenses, recognising what the examiner is asking and how to turn the verb back around!

Look at the notes below and it may make it a bit easier to understand!

NÓTA GRAMADAÍ 1: AIMSIR LÁITHREACH/*PRESENT TENSE*

Basic verbs in the **Present Tense** to get you started:

Déanaim — *I do/make*

Téim — *I go*

Faighim — *I get*

Féachaim ar — *I look at*

Táim — *I am*

Léim — *I read*

Imrím — *I play (sport)*

Seinnim — *I play (music)*

Éistim le — *I listen to*

Cuirim — *I put*

Fanaim — *I stay*

Caithim — *I spend*

Grammar note to help you out: Present Tense: *an Aimsir Láithreach*

Leathan vowels: A, O, U, Á, Ó, Ú

Caol Vowels: I, E, Í, É

Tip: Look at the last vowel in verb to see if it is **leathan** or **caol**,

mar shampla: Tóg = Leathan   Cuir = Caol

These verbs are in '**An chéad réimniú**'as they have **one sound.**

Tosaigh and *Bailigh* are in '**An dara réimniú**'as they have **two sounds**; with these, to decide if they are **caol** or **leathan**, you knock off the '-aigh' or 'i-gh'and look at the verb then.

Mar shampla: Tos**aigh**: we look at 'Tos' and know it is **leathan**.

Bail**igh**: we look at 'Bail'and we know it is **caol**.

Bain triail as! *Your turn*!

Leathan nó Caol?

Write **L** or **C** beside the following verbs:

Imigh__, Féach__, Éalaigh__, Dúisigh__, Fág__, Socraigh__, Éirigh__, Bris__, Fill__, Sroich__, Brostaigh__, Díol__, Scríobh__

Also do these verbs have one sound or two?

Write **1** (An Chéad Réimniú) or **2** (An Dara Réimniú) beside each also.

key point

For the present tense, there is a pattern of endings; follow the box below and work out how to turn these to present tense.

	Leathan	Caol
An chéad réimniú	-aim	-im
(one sound)	-ann tú	-eann tú
	-ann sé/sí	-eann sé/sí
	-aimid	-imid
	-ann sibh	-eann sibh
	-ann siad	-eann siad

Sampla:　　Tóg: An chéad réimniú, leathan:

Tógaim, tóg**ann** tú, tóg**ann** sé/sí, tóg**aimid**, tóg**ann** sibh, tóg**ann** siad

	Leathan	Caol
An dara réimniú	-aím	-ím
(two sounds)	-aíonn tú	-íonn tú
	-aíonn sé/sí	-íonn sé/sí
	-aímid	-ímid
	-aíonn sibh	-íonn sibh
	-aíonn siad	-íonn siad

Sampla:　　Bailigh: An dara réimniú, caol:

Bailím, bail**íonn** tú, bail**íonn** sé/sí, bail**ímid**, bail**íonn** sibh, bail**íonn** siad

Try and work out the verbs on p. 40 in full in their present tense form. Go for it!

There are **11 Irregular verbs** that do not follow all the rules:

Táim, táimid: *I am, we are*

Deirim, deirimid: *I say, we say*

Téim, téimid: *I go, we go*

Feicim, feicimid: *I see, we see*

Faighim, faighimid: *I get, we get*

Beirim, beirimid: *I catch, we catch*

Ithim, ithimid: *I eat, we eat*

Tagaim, tagaimid: *I come, we come*

Tugaim, tugaimid: *I give, we give*

Déanaim, Déanaimid: *I do/make, we do/make*

Cloisim, cloisimid: *I hear, we hear*

Bain triail as! *Your turn!*

Write out sample answers for the questions below:

1. Cad a dhéanann tú gach lá? *What do you do every day?*
2. Cad a dhéanann tú gach samhradh? *What do you do every summer?*
3. Cad a dhéanann tú ar ghnáth-Shatharn? *What do you do on a typical Saturday?*
4. An ndéanann tú a lán oibre timpeall an tí? *Do you do much work around the house?*
5. An dtéann tú go dtí lár an cathrach gach deireadh seachtaine? *Do you go into the city centre every weekend?*

1. _____

2. _____

3. _____

4. _____

5. _____

Caitheamh aimsire/*Hobbies*

key point

Before doing an answer on this area, I recommend you take a look back over the vocabulary already provided in the previous sections.

Try to pick some phrases that are adaptable to a few different sections.

Caitheamh aimsire: Spórt

Time frames to help shape your answer:

go minic: *often*	uaireanta: *sometimes*
anois is arís: *now and again*	scaití: *rarely*
ó am go ham: *from time to time*	gach uile lá: *every single day*

Cad a dhéanann tú i d'am saor?

What do you do in your spare time?

Liosta spóirt: Imrím/*I play*

Gluais

haca: *hockey*	badmantan: *badminton*
cruiceád: *cricket*	snúcar: *snooker*
rugbaí: *rugby*	galf: *golf*
peil Ghaelach: *Gaelic football*	cispheil: *basketball*
iománaíocht: *hurling*	eitpheil: *volleyball*
camógaíocht: *camogie*	leadóg bhoird: *table tennis*
scuais: *squash*	cluichí ríomhairí: *computer games*
leadóg: *tennis*	

Téim/*I go* ag (*nóta:* 'ag' placed before a verb turns the verb to '-ing')

Gluais

ag siopadóireacht: *shopping*	ag bualadh le mo chairde: *meeting my friends*
ag seoltóireacht: *sailing*	
ag bádóireacht: *boating*	ag dul amach: *going out*
ag rith: *running*	ag campáil: *camping*
ag máinneáil thart: *hanging around*	ag marcaíocht ar chapall: *horse riding*
	ag tonnmharcaíocht: *surfing*

Some nice phrases to add in!

- Tógaim sos ón staidéar go minic le ...: *I often take a break from the study with ...*
- Ligim mo scíth os comhair na teilifíse ar feadh tamaill: *I relax in front of the TV for a while.*
- Tugann sé faoiseamh dom ón obair: *It gives me a break from the study.*
- Bím ag staidéar ó dhubh go dubh: *I study from dawn to dusk.*

An bhfaca tú aon chluiche le déanaí?: *Did you see any game lately?*

Chonaic mé Cluiche Ceannais na hÉireann: *I saw the All-Ireland Final.*

Déan cur síos air: *Describe it (Use the past tense!)*

NÓTA GRAMADAÍ 2: AIMSIR CHAITE/*PAST TENSE*

'For 'sinn' = *'we'* in past tense, look at the last vowel in the verb to see if it is leathan or caol.

	Leathan	**Caol**
An chéad réimniú	-amar	-eamar
An dara réimniú	-aíomar	-íomar

Briathra Rialta: *Regular verbs*

d'fhan mé/d'fhanamar: *I/we stayed*

d'fhág mé/d'fhágamar: *I/we left*

chuir mé/chuireamar: *I/we put*

d'fhill mé/d'fhilleamar: *I/we returned*

d'fhéach mé/d'fhéachamar: *I/we watched*

ba mhaith liom/linn: *I/we loved*

dhúisigh mé/dhúisíomar: *I/we awoke*

chaith mé/chaitheamar: *I/we spent*

shroich mé/shroicheamar: *I/we reached*

cheannaigh mé/cheannaíomar: *I/we spent*

shnámh mé/shnámhamar: *I/we swam*

d'fhreastail mé: *I attended*

d'imir mé: *I played*

Key Point: The past tense is the easiest of the tenses. It is straightforward and there are 5 basic rules to follow:

- Verbs beginning with 'f' turn to d'fh: **d'fhill mé:** *I returned*
- Verbs beginning with vowels turn to d': **d'ól mé:** *I drank*
- Verbs beginning with L,R,N do not change: **rith mé:** *I ran*
- Negative in past tense is níor: **níor thóg mé:** *I didn't take*
- Questions in past tense use ar: **ar thóg tú?:** *did you take?*

Bain triail as! *Your turn!*

Turn into past tense:

Póg: _____ Imigh _____ Foilsigh _____ Éalaigh _____

Loit _____ Scuab _____ Eirigh _____ Gortaigh _____

Bhí mé/ní raibh mé: *I was/I wasn't*

Dúirt mé/ní dúirt mé: *I said/I didn't say*

Fuair mé/ní bhfuair mé: *I got/I didn't get*

Chonaic mé/ní fhaca mé: *I saw/I didn't see*

Chuaigh mé/ní dheachaigh mé: *I went/I didn't go*

Rinne mé/ní dhearna mé: *I made/I didn't make*

Rug mé/níor rug mé: *I caught/I didn't catch*

D'ith mé/níor ith mé: *I ate/I didn't eat*

Thug mé/níor thug mé: *I gave/I didn't give*

Tháinig mé/níor tháinig mé: *I came/I didn't come*

Chuala mé/níor chuala mé: *I heard/I didn't hear*

Don't forget the 11 irregulars! They are slightly different.

An imríonn tú d'aon fhoireann? *Do you play for any team?*

Imrím d'fhoireann na scoile.

Déan cur síos air ...

An maith leat spórt? An duine spórtúil thú? *Are you sporty?*

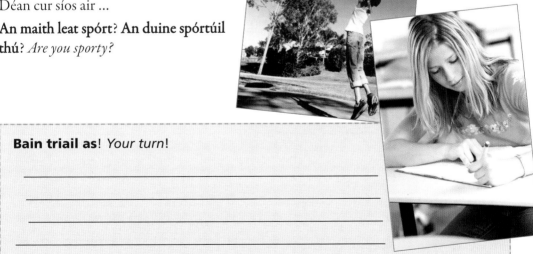

Bain triail as! *Your turn!*

_____

_____

_____

_____

_____

Foclóir áisiúil: *useful vocab*

Sampla: An bhfaca tú aon chluiche le déanaí? *Did you see any game lately?*

Gluais

cúl báire: *goalkeeper*	aclaí: *fit*
scór: *score*	cúirteanna: *courts*
i lár na páirce: *in midfield*	clogad: *helmet*
liathróid: *ball*	duais: *prize*
raicéad: *racket*	corn: *cup*
foireann: *team*	bonn: *medal*
foireann áitiúil: *local team*	sraith: *league*
captaen: *captain*	cluiche ceannais: *final*
réiteoir: *referee*	Páirc an Chrócaigh: *Croke Park*
bróga reatha: *runners*	feadóg: *whistle*
ag traenáil: *training*	brú: *pressure*

Chonaic mé cluiche peile ar an teilifís Dé Sathairn seo caite ar TG4. Bhí Corcaigh agus Dún na nGall ag imirt. Bhuaigh Corcaigh, bhí slua beag ann, bhí an aimsir go hainnis (*terrible*). Thacaigh mé le (*I supported*) Corcaigh. Bhí mé lán sásta (*really happy*) leis an scór!

Anois cad fút? *Now what about you?*

Use **past tense** ... chonaic mé, chuaigh mé, chaith mé, rith mé, thug mé, tháinig mé, rug mé ar (*I caught*), scóráil mé, fuair mé, d'fhág mé, d'fhan mé, shuigh mé ...

Bain triail as! *Your turn!*

_____

_____

_____

_____

Caitheamh aimsire: *Ag seinm ceoil*

An maith leat ceol? *Do you like music?*

Is aoibhinn liom ceol, go háirithe ... *I love music, especially ...*

Foclóir áisúil: useful vocabulary

rac-cheol: *rock music*	siopa ceoil: *music shop*
popcheol: *pop music*	réalta: *star*
ceol traidisiúnta: *traditional music*	ticéad: *ticket*
ceol tíre: *country music*	slua craiceáilte: *crazy crowd*
ceol Meiriceánach: *American music*	lucht leanúna: *fans*
ceol clasaiceach: *classical music*	ag screadaíl: *screaming*
ceolchoirm: *concert*	an t-amhrán is fearr: *the best song*
dlúthdhioscaí: *cds*	ceoltóir: *musician*

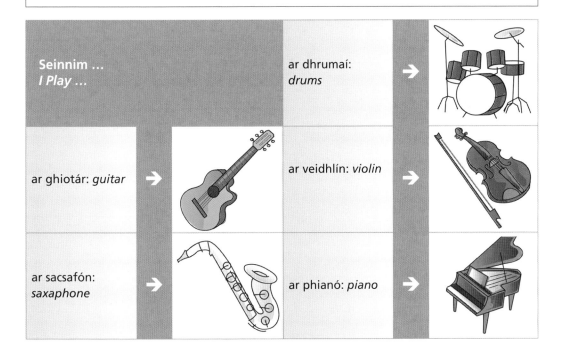

Seinnim ... **I Play ...**		ar dhrumaí: *drums*	
ar ghiotár: *guitar*		ar veidhlín: *violin*	
ar sacsafón: *saxaphone*		ar phianó: *piano*	

Sampla: An bhfaca tú aon cheolchoirm riamh? *Did you ever see a concert?*

- Ar ndóigh! Chonaic mé AC/DC san RDS, bhí sé thar a bheith taitneamhach.
  Of course! I saw AC/DC in the RDS, it was extremely enjoyable.
- Bhí sé ar siúl i lár mhí an Mheithimh an bhliain seo caite.
  It was on in the middle of June, last year.

- Chuaigh mé agus mo chara Seán. Cheannaigh mé na ticéid mar breithlá Sheáin a bhí ann.

  I went with my friend Seán. I bought the tickets as it was Seán's birthday.

- Chuir mé mo chuid éadaigh is fearr orm agus shroicheamar an cheolchoirm ar a seacht. Bhí an banna go hiontach.

  I wore my best clothes and we arrived at the concert at seven. The band were brilliant.

- Sheinn siad gach amhrán ón albam nua agus chanamar go léir leo. Oíche iontach a bhí ann.

  They played all the songs from their new album and we all sang with them. It was a great night.

- Ag an deireadh, tháinig mo Mham agus chuamar abhaile go sona sásta.

  At the end, my Mam came and we went home very happy.

Anois do sheans! **An bhfaca tu ceolchoirm riamh?**

Bain triail as! *Your turn!*

_____

_____

_____

_____

_____

Caitheamh aimsire: *Ag féachaint ar an teilifís*

An bhféachann tú ar an teilifís go minic? *Do you watch TV often?*

Féachaim ar …: *I watch …*

Gluais

clár réaltachta: *reality programme*	an nuacht: *the news*
clár faisin: *fashion programme*	scannáin: *films*
clár spóirt: *sports programme*	drámaíocht: *drama*
clár faisnéise: *documentary*	clár grinn: *comedy*
clár cainte: *talk show*	clár románsúil: *romantic programme*
sobalchláir: *soaps*	clár aicsin: *action programme*

Caitheamh aimsire: *An phictiúrlann/The cinema*

An dtéann tú go dtí an phictiúrlann go minic?

Do you go to the cinema often?

Téim …/ní théim …

Cén fáth? *Why?*

- tá sé costasach: *expensive*
- tá sé corraitheach: *exciting*
- tá sé taitneamhach: *enjoyable*

Déan cur síos ar an scannán/leabhar/clár is fearr leat.

Describe your favourite film/book/programme.

Keep it *éasca*! (easy)

Sampla:

- 'P.S I Love You' is ainm dó.
- Tá an t-aisteoir is fearr liom, Gerard Butler, ann.
- Tá sé suite i Nua-Eabhrac agus in Éirinn.
- Tá sé faoi ghrá agus faoi bhás.
- Faigheann an fear céile bás agus tá a bhean ina haonar.
- Scríobhann sé litreacha agus faigheann an bhean iad gach lá.
- Tagann biseach uirthi agus buaileann sí le fear eile.
- Tá deireadh sona air dar ndóigh!

- *It's called 'P.S. I Love You'.*
- *My favourite actor, Gerard Butler, is in it.*
- *It's based in New York and Ireland.*
- *It's about love and death.*
- *The husband dies and the wife is alone.*
- *He writes letters and she gets them daily.*
- *She recovers and meets another man.*
- *There's a happy ending of course!*

Bain triail as! *Your turn!*

_____

_____

_____

_____

_____

Caitheamh aimsire: *Ar an ríomhaire*

An mbíonn tú ar an ríomhaire gach tráthnóna tar éis scoile?

Are you on the computer every night after school?

An úsáideann tú é? *Do you use it?*

Úsáidim an ríomhaire/*I use it*: Ní úsáidim é/*I don't use it*

Tá sé ...   áisiúil: *handy*

faisnéiseach: *informative*

praiticiúil: *practical*

nua-aimseartha: *modern*

Gluais

scáileán: *screen*	an luch: *the mouse*
an t-idirlíon: *the internet*	ag cur ticéad in áirithe: *booking tickets*
ag íoc billí: *paying bills*	ag íoslódáil ceoil: *downloading music*
ag fáil eolais: *getting information*	ríomhphost: *email*
ag clóscríobh: *typing*	ag ceannach rudaí: *buying things*
ríomhaire glúine: *laptop*	bulaíocht: *bullying*
dainséarach: *dangerous*	pornagráfaíocht: *pornagraphy*
suíomh gréasáin: *website*	

Sampla: An bhfuil ríomhaire agat sa bhaile? *Do you have a computer at home?*

- Ar ndóigh, tá ríomhaire glúine againn sa bhaile, úsáidim é gach oíche le m'obair bhaile

- Faighim eolas ón idirlíon, bím ag íoslódáil ceoil, féachaim ar scannáin agus bím ar MSN ag comhrá le mo chairde.

- Tá sé an-áisiúil, úsáideann mo Mham é chun billí leicteachais a íoc agus chun rudaí a chur in áirithe. Is áis an-oideachasúil é.

- *Of course I have a lap-top at home, I use it every night with my homework.*

- *I get information from the internet, I download music, I watch films and I go on MSN talking with my friends.*

- *It is vey handy, my Mam uses it to pay electricity bills and to book things. It's a very educational facility.*

Anois, déan cur síos ar d'am ar an ríomhaire. *Now describe your time on the computer.*

Bain triail as! *Your turn!*

_____

_____

_____

_____

_____

Laethanta saoire/*Holidays*

- The examiner is not expecting you to tell him everything about the fabulous places you have been to around the world; he or she is examining only your conversation skills *as Gaeilge*.

- Don't get carried away or worried that you are not able to tell him all about a skiing holiday in the French Alps! Just keep it nice and easy.

- You should give a variety of verbs in the correct tense.

exam focus

Key vocabulary you need to recognise:
thar lear, thar sáile: *abroad, overseas*
i dtír eile: *in another country*
laethanta saoire: *holidays*
ar saoire: *on holiday*
muintir na hÉireann: *the people of Ireland*
muintir na tíre: *the people of the country*

Ceist: An raibh tú riamh thar lear? *Were you ever abroad?*

An raibh? Bhí mé/Ní raibh mé

Cén tír? Cá ndeachaigh tú?

What country? Where did you go?

exam focus

Past tense is being tested
here, therefore it must be
answered in the past tense.

Bain triail as! *Your turn!*

Chuaigh mé go dtí _____

_____

_____

_____

_____

exam focus

Practise answers
using the past tense.

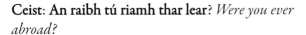

TÍORTHA: *COUNTRIES*

An Spáinn: *Spain*	Meiriceá: *America*
Sasana: *England*	An Ghréig: *Greece*
An Phortaingéil: *Portugal*	An Fhrainc: *France*
An Ghearmáin: *Germany*	An Pholainn: *Poland*
An Iodáil: *Italy*	Ceanada: *Canada*
An Tuirc: *Turkey*	An Rúis: *Russia*
An Astráil: *Australia*	

Holidays/Camping/Country Life

Gach lá, chuamar go dtí/ag

(Everyday we went to …)

key point

Look back over the other *Caitheamh Aimsire* where you may pick up some vocabulary you can use again!

Foclóir áisúil: useful vocabulary

an tuath: *the countryside*	mála droma: *backpack*
puball: *tent*	ag campáil: *camping*
ionad campála: *camp site*	uisce reatha: *running water*
óstán: *hotel*	lóistín: *accommodation*
bia blasta: *tasty food*	seirbhísí: *services*
áiseanna: *facilities*	cith: *shower*
ag siopadóireacht: *shopping*	radhairc áille: *beautiful sights*
ag tumadh: *diving*	na tonnta: *the waves*
uachtar reoite: *ice cream*	ag luí faoin ngrian: *sunbathing*
dath gréine: *suntan*	caisleán gainimh: *sandcastle*
an fharraige ghealghorm: *the bright blue sea*	ceapairí: *sandwiches*
	teach tábhairne: *pub*
saol sóisialta: *social life*	picnic: *picnic*
eitpheil ar an trá: *volleyball on the beach*	comórtas ceoil: *music competition*
dioscó: *disco*	pas: *passport*
na ticéid: *the tickets*	carr ar cíos: *a rented car*
spraoi agus craic: *great fun*	freastalaí: *assistant/waiter*
turasóir: *tourist*	an t-eitleán: *the plane*

Sampla: An raibh tú thar lear riamh?

Were you ever abroad?

- Ar ndóigh! Bhí mé thar lear anuraidh. Bhí sé thar a bheith taitneamhach.
- Chuaigh mé go dtí an Spáinn; d'fhan mé in óstán áitiúil i lár na cathrach.
- Chaith mé gach lá ag luí faoin ngrian, bhí mé ag siopadóireacht sa lár agus d'imir mé eitpheil ar an trá gach lá.
- Bhí mé ag an dioscó sa halla gach oíche. Cheannaigh mé éadaí nua agus bronntanais do mo chara. Bhain mé an-sult as.

- *Of course! I was abroad last year. It was extremely enjoyable.*
- *I went to Spain; I stayed in a local hotel in the city centre.*
- *I spent everyday lying under the sun, I went shopping in the city centre and I played volleyball on the beach every day.*
- *I was at the disco in the hall every night. I bought new clothes and presents for my friend. I really enjoyed it.*

Anois scríobh do chuntas faoi do shaoire thar lear: *Now write your own account of your holiday abroad.*

Bain triail as! *Your turn!*

_____

_____

_____

_____

_____

_____

_____

_____

_____

_____

An Ghaeilge agus an Ghaeltacht/*Irish and the Gaeltacht*

key point

A common question asked in the Oral:
An raibh tú riamh sa Ghaeltacht? *Were you ever in the Gaeltacht?*

Gluais

imeachtaí lae: *daytime events*	cúrsa samhraidh: *summer course*
feabhas ar mo Ghaeilge: *improvement in my Irish*	damhsa Gaelach: *Irish dancing*
	céilí: *ceilidh*
ranganna Gaeilge: *Irish classes*	ag labhairt as Gaeilge: *speaking Irish*
comórtais: *competitions*	in aice na farraige: *beside the sea*
múinteoirí Gaeilge: *Irish teachers*	

Cá raibh tú? *Where were you?*

Ráth Chairn — Contae na Mí

An Daingean — Contae Chiarraí

Gaoth Dobhair — Contae Dhún na nGall

An Rinn — Contae Phort Láirge

Oileáin Árann, Conamara — Contae na Gaillimhe

An raibh tu sa Ghaeltacht? *Were you in the Gaeltacht?*

Bhí/Ní raibh. D'fhreastail me ar ... *I attended* _____

Ar fhoghlaim tú a lán? *Did you learn a lot?*

Níor fhoghlaim mé a lán/D'fhoghlaim mé a lán.

Sampla: Déan cur síos ar an tsaoire a bhí agat sa Ghaeltacht:
Describe your holiday in the Gaeltacht.

- Chuaigh mé go dtí an Daingean. Chaith mé trí sheachtain ann.
- Gach lá, ghlac mé páirt sna himeachtaí lae.
- D'imir mé spórt, d'fhoghlaim mé amhráin nua.
- Rinne mé cairde nua.
- D'fhan mé i dteach Mháire i lár an bhaile; bhí sí an-chairdiúil, an-chabhrach agus fíorchainteach!
- Bhí mo chroí briste ag teacht abhaile. Bhí mo chuid Gaeilge níos fearr.

- *I went to the Gaeltacht in Dingle. I spent three weeks there.*
- *Every day I took part in the daytime events.*
- *I played sport, I learned new songs.*
- *I made new friends.*
- *I stayed in Mary's house in the centre of the town; she was very friendly, very helpful and really talkative!*
- *My heart was broken coming home. My Irish had improved.*

Bain triail as! *Your turn*!

An raibh tú sa Ghaeltacht? _____

_____

_____

_____

An maith leat Gaeilge? _____

_____

_____

_____

Cad a rinne tú gach lá sa Ghaeltacht? *What did you do daily?* _____

_____

_____

_____

_____

NÓTA GRAMADAÍ 3:

AIMSIR FHÁISTINEACH/*FUTURE TENSE*

Aimsir Fháistineach

- Leathan vowels: A, O, U, Á, Ó, Ú
- Caol Vowels: I, E, Í, É

Look at the last vowel in verb to see if it is *leathan* or *caol*,

mar shampla: *Tóg = leathan*

Cuir = caol.

These verbs are in '*an chéad réimniú*' as they have one sound.

Tosaigh, Ceannaigh, Bailigh, Críochnaigh are all in '*an dara réimniú*' as they have two sounds. With these, you knock off the '*aigh*' or '*igh*' and look at the verb then.

Mar shampla: *Tosaigh*: we look at '*Tos*' and know it is *leathan*.

Bailigh: we look at '*Bail*' and we know it is *caol*.

key point

When the examiner is conversing with you, he or she may just ask you a link question from a topic you have mentioned.

Mar shampla: you are talking about what you did last summer and the examiner then continues with: Cad a dhéanfaidh tú an samhradh seo chugainn? *What will you do next summer?*

To answer this correctly, you will have to use a good variety of tenses to get top marks.

Learn the following to be bulletproof!

Aimsir Fháistineach: Future Tense

	Leathan	Caol
An chéad réimniú:	-faidh mé	-fidh mé
	-faidh tú	-fidh tú
	-faidh sé/sí	-fidh sé/sí
	-faimid	-fimid
	-faidh sibh	-fidh sibh
	-faidh siad	-fidh siad
	Leathan	**Caol**
An dara réimniú:	-óidh mé	-eoidh mé
	-óidh tú	-eoidh tú
	-óidh sé/sí	-eoidh sé/sí
	-óimid	-eoimid
	-óidh sibh	-eoidh sibh
	-óidh siad	-eoidh siad

Anois féach ar na samplaí thíos:

Tóg**faidh mé**, tóg**faidh tú**, tóg**faidh sé/sí**, tóg**faimid**, tóg**faidh sibh**, tóg**faidh siad**

Fill**fidh mé**, fill**fidh tú**, fill**fidh sé/sí**, fill**fimid**, fill**fidh sibh**, fill**fidh siad**

Bail**eoidh mé**, bail**eoidh tú**, bail**eoidh sé/sí**, bail**eoimid**, bail**eoidh sibh**, bail**eoidh siad**

Tos**óidh mé**, tos**óidh tú**, tos**óidh sé/sí**, tos**óimid**, tos**óidh sibh**, tos**óidh siad**

Don't forget the **11 irregulars**:

Rachaidh mé, rachaimid: *I will go, we will go*

Béarfaidh mé ar, béarfaimid ar: *I will catch/grab, we will catch/grab*

Gheobhaidh mé, gheobhaimid: *I will get, we will get*

Feicfidh mé, feicfimid: *I will see, we will see*

Íosfaidh mé, íosfaimid: *I will eat, we will eat*

Tabharfaidh mé, tabharfaimid: *I will give, we will give*

Déarfaidh mé, déarfaimid: *I will say, we will say*

Déanfaidh mé, déanfaimid: *I will make/do, we will make/do*

Tiocfaidh mé, tiocfaimid: *I will come, we will come*

Cloisfidh mé, cloisfimid: *I will hear, we will hear*

Beidh mé, beimid: *I will be, we will be*

Bain triail as! *Your turn*!

Cad a **dhéanfaidh tú** an samhradh seo chugainn? _____

_____

_____

_____

_____

TRY THESE ONES ON YOUR OWN

1. Cad a dhéanfaidh tú tar éis scoile inniu? *What will you do after school today*?

_____

_____

_____

_____

_____

_____

2. Cad a íosfaidh tú don lón inniu? *What will you eat for lunch today*?

_____

_____

_____

_____

_____

3. Cá rachaidh tú tar éis na hArdteiste? *Where will you go after the Leaving Cert.*?

_____

_____

_____

_____

_____

_____

4. Cad a dhéanfaidh tú anocht? *What will you do tonight?*

_____

_____

_____

_____

_____

NÓTA GRAMADAÍ 4:

AN MODH COINNÍOLLACH/**CONDITIONAL MOOD:** *WHAT WOULD YOU DO*

- **Leathan vowels:** A, O, U, Á, Ó, Ú
- **Caol Vowels:** I, E, Í, É

Look at the last vowel in verb to see if it is leathan or caol,

mar shampla:	Tóg = Leathan
	Cuir = Caol

These verbs are in the 'An chéad réimniú' as they have **one sound.**

Tosaigh, Ceannaigh, Bailigh, Críochnaigh are all in the '*dara réimniú*' as they have **two sounds**; with these you knock off the 'aigh' or 'igh' and look at the verb then.

mar shampla:	*Tosaigh*: **we look at** '*Tos*' and know it is Leathan.
	Bailigh: **we look at** '*Bail*' and we know it is Caol.

	Leathan	**Caol**
An chéad réimniú	-fainn	-finn
	-fá	-feá
	-fadh sé/sí	-feadh sé/sí
	-faimis	-fimis
	-fadh sibh	-feadh sibh
	-faidís	-fidís
	Leathan	**Caol**
An dara réimniú	-óinn	-eoinn
	-ófá	-eofá
	-ódh sé/sí	-eodh sé/sí
	-óimis	-eoimis
	-ódh sibh	-eodh sibh
	-óidís	-eoidís

exam focus

Generally you are expected to have the conditional mood prepared; the conditional mood is a combination of the past tense rules with the future.

Anois, féach ar na samplaí thíos:

Thóg**fainn**, thóg**fá**, thóg**fadh sé/sí**, thóg**faimis,** thóg**fadh sibh**, thóg**faidís**

Chuir**finn**, chuir**feá**, chuir**feadh sé/sí**, chuir**fimis**, chuir**feadh sibh**, chuir**fidís**

Bhail**eoinn**, bhail**eofá**, bhail**eodh sé/sí**, bhail**eoimis**, bhail**eodh sibh**, bhail**eoidís**

Thos**óinn**, thos**ófá**, thos**ódh sé/sí**, thos**óimis**, thos**ódh sibh**, thos**óidís**

There are **11 irregulars**:

Rachainn, rachaimis: *I would go, we would go*

D'íosfainn, d'íosfaimis: *I would eat, we would eat*

Thabharfainn, thabharfaimis: *I would give/bring, we would give/bring*

D'fheicfinn, d'fheicfimis: *I would see, we would see*

Gheobhainn, gheobhaimis: *I would get, we would get*

Dhéanfainn, dhéanfaimis: *I would do/make, we would do/make*

Chloisfinn, chloisfimis: *I would hear, we would hear*

Thiocfainn, thiocfaimis: *I would come, we would come*

Bhéarfainn, bhéarfaimis: *I would catch, we would catch*

Bheinn, bheimis: *I would be, we would be*

Déarfainn, déarfaimis: *I would say, we would say*

> **key point**
>
> Notice that there is a 'h' after the initial letter of the verb (where possible) or a d' before a vowel in the Modh Coinníollach

Sampla: Dá mba Phríomhoide thú, cad a dhéanfá sa scoil seo?: If you were principal, what would you do in this school?

- Chuirfinn cosc ar_____: *I would ban _____*
- Thabharfainn níos mó saoire do na daltaí: *I would give more holidays to the pupils*
- Bheinn dian ach cabhrach: *I would be strict but helpful*
- Ní thabharfainn obair bhaile do na daltaí: *I wouldn't give homework to the pupils*
- Rachainn ar saoire gach samhradh: *I'd go on holidays every summer*
- Mhúinfinn Gaeilge: *I would teach Irish*

Bain triail as! *Your turn*!

Dá mbuafá an Crannchur Náisiúnta cad a dhéanfá?: *If you won the Lotto, what would you do*? _____

_____

_____

_____

_____

_____

ANOIS, CEISTEANNA DUIT!

1. Conas a dhéanfá cupán tae?: *How would you make a cup of tea?*

_____

_____

_____

_____

_____

_____

2. Cad a dhéanfá, dá bhfeicfeá timpiste?: *What would you do if you saw an accident?*

_____

_____

_____

_____

_____

3. Cad a dhéanfá dá mbeifeá i do Thaoiseach?: *What would you do if you were the Taoiseach?*

_____

_____

_____

_____

_____

_____

Fadhbanna an déagóra/*Teenage problems*

- An bhfuil daoine óga faoi bhrú?: *Are teenagers under pressure*?
- An bhfuil a lán daoine óga ag ól agus ag caitheamh drugaí i do cheantar?: *Are a lot of teenagers drinking and taking drugs in your area*?
- An bhfuil a lán fadhbanna ag déagóirí ar scoil?: *Do teenagers have a lot of problems at school*?

Gluais

déagóir: *teenager*	déagóirí: *teenagers*
daoine óga: *young people*	i measc na n-óg:
ina óige: *in his youth*	*amongst the youth*
deochanna: *drinks*	ag ól: *drinking*
gafa: *hooked*	ag ól alcóil: *drinking alcohol*
ag caitheamh tobac: *smoking*	fadhb na ndrugaí: *the problem of drugs*
ag máinneáil thart: *hanging around*	foréigean: *violence*
fadhb na bulaíochta: *the problem of*	ag múitseáil: *mitching*
bullying	scriosadóireacht: *vandalism*
ag troid: *fighting*	piarbhrú: *peer pressure*
ag spochadh as a chéile: *slagging one*	in adharca a chéile: *at loggerheads*
another	ag bulaíocht: *bullying*
strus: *stress*	fadhbanna teaghlaigh: *family problems*
sa lá atá inniu ann: *these days*	

Conas atá saol an déagóra?

What is a teenagers life like?

Bhuel, chun an fhírinne a rá, tá saol an déagóra an-deacair sa lá atá inniu ann. Tá strus orthu maidir le scoil, le bulaíocht, le foréigean agus le drugaí agus alcól. Tá a lán brú ar dhaltaí ar scoil mar tá bulaíocht ar siúl timpeall na scoile i gcónaí. Tá staidéar le déanamh acu an t-am ar fad agus tá brú óna dtuismitheoirí freisin.

Well to be honest, the life of a teenager is very hard these days. They are stressed with school, bullying, violence and drugs and alcohol. There is a lot of pressure on pupils at school because there is bullying around school always. They have studying to do the entire time and they have pressure from their parents also.

Gluais

maidir le: *regarding*

Anois, ceist duit! Cad a cheapann tú féin? *What do you think?*

I mo thuairim … _____

2 Páipéar a hAon: Cluastuiscint/*Listening*
(10% – 60 marc)

Cluastuiscint/*Listening Comprehension (Aural)*

Páipéar a hAon: Uair go leith/1½ hours

- To approach your cluastuiscint exam with confidence.
- To use vocabulary from this section in all parts of the exam.

The best methods of study/exam techniques for this are:

- Learning key vocabulary that reoccurs.
- Knowing your question words.
- Underlining the main question asked at the start of the exam to speed up your answering.
- Never leaving blanks.
- Writing numbers in digit form if you like.
- Writing the currency of money mentioned in answers.
- Not writing any *Béarla*!
- Practising, practising, practising.

This is the first part of Paper One and will last 20 minutes.

Underline question words!

What you need to know

- The tape starts with a **short introduction** giving the name and year of the exam.
- Never leave blanks!
- Write number answers **in digit** form.
- Include the **currency** in money answers! £$€
- Learn vocabulary that reoccurs.
- **Concentration** is essential here. You have no time for looking around to see how others are doing. Instead, you need to focus on the questions being asked.
- You are given time before each question to read through it. You need to go through each question in that time and **underline each question word** in order to speed up your answering.

- Reading the paper, especially **all instructions**, is a must; they will clearly indicate how many times each part will be played. When the part is played the correct number of times there are built-in pauses on the CD, giving you time to get your answers down.
- All questions and answers are **in Irish** – *ná scríobh aon Bhéarla*!
- You rarely have to write a full sentence in answering the Cluastuiscint; some just require the **main word or a short phrase**.
- Be **clear** in your presentation. Your writing should be neat and **tidy**!
- Go n-éirí leat!

There are three parts in this section:

Cuid A: You will hear twice (*faoi dhó*)

Cuid B: You will hear three times (*trí huaire*)

Cuid C: You will hear twice: (*faoi dhó*)

- Marks are awarded in this section for **understanding**.
- Marks are awarded if something **close or similar to the correct spelling** of the answer is given.
- 95% of the marks are for correct answers. Only between one and five per cent is taken away for poor spellings at the end, e.g. múseam (which is incorrectly spelt)=2m, museum=0.

The vocabulary lists provided in this chapter will help you in several areas throughout the written paper also.

- If you hear a placename or something common that is long to write, e.g. Baile Átha Cliath, write it in shorthand the first time and complete it on the second or third hearing.
- **Remember**: Use your time at the beginning and during the pauses wisely.
- Read through all questions in each section during the pauses. Write in a few words in English over some key words, if you need to.

Try to predict possible answers! Sometimes you may know the answer without even listening!

Mar shampla: Cé a bhuaigh Wimbledon anuraidh?

Who won Wimbeldon last year? _____

Cleachtadh a dhéanann máistreacht! *Practice makes perfect!*

exam focus

- Be careful with numbers especially in dates: e.g. naoi/*9* is often mixed up with náid/*0*; fiche/*20* is often confused with caoga/*50*; míle (*thousand*) mixed up with milliún (*million*); dhá/*2* confused with dea/*good*.
- In **Ulster Gaeilge** the word for two, dhá, sounds like '*yaw*'!
- Other vocab. that is often not recognised is:
  - leabhar (*book*) sounds like 'lew-or';
  - ag féachaint/ag amharc (*looking*) in Conamara is ag breathnú;
  - deartháir (*brother*) sounds like it's written;
  - gach uair and achan uair both mean '*every time*';
  - amárach (*tomorrow*) is pronounced 'a-mar-ach';
  - Gaeilic is just a different pronunciation of Gaeilge;
  - samhradh (*summer*) is sometimes pronounced 'samhru'.

Question words:

?

Cad and Céard both mean 'what?'
While Cé asks 'who' and Ná means 'do not!'
Cén fáth means 'why?'
And Cathain 'when?'
Cén áit — 'what place?'
Ansin is 'then'!
Cén uair, Cén t-am, both ask 'what time?'
Cén sórt 'what kind?'
Continues our rhyme!

Conas is 'how?'
It's also 'Cén chaoi'
'Mínigh' — 'please explain to me!'

Cár and Cá both mean 'where?'
Cén ceann, 'which one?'
We're nearly there!

Cá bhfios duit
'How do you know?'
Tá a fhios agam, I learnt it so!

?

key point

Learn this poem and the listening and comprehensions will be easy!

?

?

?

?

?

?

Here is a list of questions that are commonly asked. Learn five a night and you will see a pattern of them in the papers.

Listen to track 15 to hear common question words, vocab. and phrases that reoccur in the listening sections in two dialects: Connacht and Ulster. Guess which is which!

 Rian 15

Key vocabulary: Eochar-fhocail

Cé mhéad?	*How many?* or *How much?*	Cén praghas?	*What price?*
Cén costas?	*What cost?*	Cén táille?	*What fee?*
Cén líon?	*What number? (people)*	Cé chomh fada?	*How long?*
Cá fhad?	*How long?*	Cén t-achar?	*What distance? (length)*
Cén tír?	*What country?*	Cén contae?	*What county?*
Cén suíomh?	*What location?*	Cén tslí?	*In what way?*
Cén dóigh?	*In what way?*	Liostaigh	*List*
Cén teideal?	*What title?*	Cén bhaint?	*What connection?*
Cén chúis?	*What reason?*	Cén spriocdháta?	*What deadline?*
Cé leis?	*Who owns?*	Cé uaidh?	*From whom?*
Cé acu?	*Which?*	Cé dó?	*For whom?*

 Rian 16

Listen to the following useful buzz words that reoccur: Focal úsáideacha

fadhb	*problem*	bronn	*award – verb*
tuarastal	*wage*	eolas	*information*
líofa	*fluent*	duais	*prize*
comhlacht	*company*	tréithe	*traits*
caighdeán	*standard*	seoladh	*address*
réiteach	*solution*	iarratais	*applications*
seol	*launch – verb*	eagraíocht	*organisation*
buntáiste/míbhuntáiste	*advantage/disadvantage*	cáilithe	*qualified*
gaisce	*achievement*		

Rian 17

Listen to the following reoccuring words/expressions: Nathanna cainte

On your first viewing of the question paper in the Cluaistuiscint, where you see these words, **highlight** or <u>underline</u> the question words or the hardest words in the question!

Seoladh	Address	Craoladh	Broadcast/Broadcasted
Arbh as	Where a person is from	Bronnadh	Awarded
Luaigh	Mention	Duais	Prize
Le líonadh	To be filled	Nuacht	News
Ar díol	For sale	Nuachtán	Newspaper
Ar cíos	For rent	Monarcha	Factory
Luaite	Mentioned	Eagraíocht	Organisation
I gceist	In question	Á lorg	Being sought/wanted
An méid	The amount	Ar iarraidh	Missing
Á dhéanamh	Being done	Riachtanach	Necessary
Táille	Fee	Cúis	Reason
Ar fáil	Available	Seans	Chance
Á ndíol	Being sold	Comhlacht	Company
I bponc	In a fix	Tuarastal	Salary
Comórtas	Competition	An té a cheapfar	The one who will be appointed
Iarrthóir	Applicant	Grád	Grade
Na hiarratais	The applications	Cineál	Type
Díolachán	Sale	Tuillte	Earned
Anuraidh	Last year	Foireann	Team
Déagóirí	Teenagers	Tionscadal	Project
Damáiste	Damage	Ráiteas	Statement

exam focus

There are 60 marks for this section.
1. Practising the Listening should help with your Oral.
2. Study the vocabulary above before the exam.
3. Be careful of spelling.
4. Digits are accepted rather than written out dates/times.
5. Do not write any Béarla in the scrúdú.
6. Spell things phonetically if you don't recognize them.

Scrúdú na hArdteistiméireachta, 2008

Gaeilge – Gnáthleibhéal

Note: The accompanying CD will play each track through only once, but you can repeat them as necessary. Details are given below on how many times you would hear them in the exam.

Cuid A of this section is completed; try to fill in the rest by yourself!

CUID A

*Cloisfidh tú **trí cinn** d'fhógraí raidió sa chuid seo. Sa scrúdú, cloisfidh tú **gach fógrá díobh faoi dhó**.*

The example which follows is taken from the **old course**. The new course will be a shorter one.

*Beidh sos leis na freagraí a scríobh tar éis na chéad éisteachta **agus** tar éis an dara héisteacht.*

Fógra a hAon

 Rian 18

Follow the text below while listening on your CD.

Líon isteach an t-eolas ata á lorg sa ghreille anseo.

An nuachtán náisiúnta atá **luaite** anseo.	*Foinse*
Ainm an **chomórtais** atá i gceist.	*Aiste sa rang*
Cá fhad a leanfaidh an comórtas.	*4 mhí*
An méid airgid a gheobhaidh gach **buaiteoir**.	*€250*

Gluais

luaite: *mentioned*	an méid: *the amount*
comórtas: *competition*	buaiteoir: *winner*
cá fhad: *how long*	

Script:

Fógraíonn an nuachtán náisiúnta *Foinse* comórtas do mhic léinn sa séú bliain atá ag ullmhú don Ardteistiméireacht. **Aiste sa Rang** an t-ainm atá ar an gcomórtas seo. Comórtas míosúil a bheidh ann a leanfaidh **ar feadh ceithre mhí**, ó mhí na Samhna go mí Feabhra. Roghnófar ábhair do na haistí a bheidh topaiciúil agus spéisiúil. Is é *Microsoft* a dhéanfaidh urraíocht ar an gcomórtas. Beidh an fhoirm iontrála le fáil sa nuachtán féin i dtús gach míosa den chomórtas. Beidh **duais dhá chéad caoga euro** le fáil ag gach buaiteoir chomh maith le luach €500 d'earraí Microsoft don scoil agus foilseofar na duaisaistí in *Foinse*.

Fógrá a dó

 Rian 19

1. (a) Cén **comhlacht** atá ag tabhairt **tacaíochta** don scéim?

   DELL

   (b) Cé mhéad **scoláireacht a bhronn**far?

   10

2. (a) Cé air a m**bronn**far na scoláireachtaí?

   Cailíní le suim san innealtóireacht

   (b) Cé mhéad airgid a gheobhaidh na daoine a **bhuafaidh** na scoláireachtaí?

   €2,000 x 4 bliana = €8,000

Gluais

comhlacht: *company*	bronn: *award*
tacaíocht: *support*	buafaidh: *will win*

Script:

Fógraíonn Fondúireacht Eolaíochta na hÉireann, i bpáirt leis an gcomhlacht ríomhaireachta **Dell,** scéim scoláireachtaí tríú leibhéal do chailíní. Bronnfar **10 scoláireacht** ar **chailíní a bheidh sásta agus cáilithe tabhairt faoi chéim innealtóireachta.** Is féidir leo freastal ar aon institiúid tríú leibhéal in Éirinn. Beidh an cúrsa staidéir do na céimeanna seo ag tosú i mbliana, 2008. Bronnfaidh **Dell** liúntas €**2,000** in aghaidh na bliana ar feadh ceithre bliana, mar aon le ríomhaire glúine, ar gach bean óg a roghnófar. Chomh maith leis sin socrófar tréimhse taighde dóibh i rith an tsamhraidh i saotharlann taighde acadúil sa stát. Tá gach eolas faoi na scoláireachtaí seo le fáil ach ríomhphost a chur go dtí scoláirí@sfi.ie

Fógra a trí

 Rian 20

Líon isteach an t-eolas atá á lorg sa ghreille anseo.

Cén **post** atá luaite san fhógra?	Fáilteoir
Cá bhfuil **ceanncheathrú** Nemeton suite?	Port Láirge
Cén **caighdeán** Gaeilge atá **á lorg**?	ard
Cén dáta atá luaite don litir **iarratais**?	roimh 17ú Samhain

Gluais

post: *job*	á lorg: *sought*
ceanncheathrú: *headquarters*	iarratas: *application*
caighdeán: *standard*	

Script:

Seo fógra ó Nemeton – an comhlacht léirithe teilifíse. Tá **fáilteoir** á lorg ag an gcomhlacht seo. Tá siad ag lorg duine fuinniúil d'oifig ghnóthach a bheidh in ann obair faoi bhrú agus as a stuaim féin. Is i gcathair **Phort Láirge** atá ceanncheathrú Nemeton suite agus is ann a bheidh an duine a cheapfar ag obair. Beidh dualgais bhreise rúnaíochta agus riaracháin ar an duine a gheobhaidh an post. Tá Gaeilge labhartha agus scríofa de chaighdeán **ard** riachtanach. Seol litir iarratais agus C.V. chuig: Fáilteoir, Nemeton, Bosca 500, Dún Garbhán, Contae Phort Láirge, **roimh an 17ú Samhain 2008.**

Cuid B

*Cloisfidh tú **trí cinn** de chomhráite sa chuid seo. Sa scrúdú, cloisfidh tú gach comhrá díobh **trí huaire**. Cloisfidh tú an comhrá ó thosach deireadh an chéad uair. Ansin cloisfidh tú é ina dhá mhír. Beidh sos leis na freagraí a scríobh tar éis gach míre díobh. Ina dhiaidh sin cloisfidh tú an comhrá ó thosach deireadh arís.*

Comhrá a haon

 Rian 21

An Chéad Mhír

1. Cá raibh Séamas i rith laethanta **saoire na Cásca?**

_____

2. Cad a bhí **á cheannach** ag tuismitheoirí Shéamais ann?

_____

An Dara Mír

1. Cén tír **arbh fhearr** le Séamas dá laethanta saoire?

_____

2. Cén **chéim** atá á déanamh ag Séamas?

_____

Gluais

saoire na Cásca: *Easter holidays*	arbh fhearr: *would he prefer*
á cheannach: *being bought*	céim: *degree*

Script:
Orlaith: Ní fhaca mé thú i rith laethanta saoire na Cásca, a Shéamais. Cá raibh tú?
Séamas: Bhí mé **sa Spáinn,** a Orlaith, le mo thuismitheoirí.
Orlaith: Ar saoire, an ea?
Séamas: Ní hea ar chor ar bith, a Orlaith. Ag féachaint ar thithe a bhí mé. Beidh mo thuismitheoirí ag dul ar pinsean go luath agus tá plean acu **teach saoire a cheannach** i

sráidbhaile beag gar do Alicante. Teastaíonn uathu a bheith in ann an geimhreadh a chaitheamh ansin. Bhíomar ag féachaint ar na tithe atá ar díol ann.

Orlaith: Nárbh aoibhinn duit é! Cén chaoi ar thaitin an Spáinn leat, a Shéamais?

Séamas: Níor thaitin sé liom ar chor ar bith, a Orlaith! Bhíomar ag dul timpeall le ceantálaí agus bhí mé cráite ag éisteacht leis ag moladh dóibh an teach seo nó an t-árasán siúd a cheannach!

....

Orlaith: Ach sin plean iontach, a Shéamais. Smaoinigh ar na buntáistí a ghabhann le teach saoire a cheannach sa Spáinn – saoire ar bheagán costais am ar bith is mian leat agus gan mórán trioblóide agat taisteal ann!

Séamas: Ó, ní thaitneodh an saghas sin saoire liom beag ná mór, a Orlaith! B'fhearr liomsa taisteal go háiteanna difriúla le mo chairde. Agus b'fhearr liom **an Fhrainc** ná an Spáinn mar go bhfuil an Fhraincis agam.

Orlaith: Tiocfaidh malairt intinne ort, a Shéamais, mise á rá leat! Is mó sos beag a bheidh ag teastáil uait sula mbeidh do chéim **innealtóireachta** agat!

Séamas: Dar ndóigh, d'oirfeadh a leithéid duitse, ceart go leor, a Orlaith! Tá an Spáinnis ar do thoil agat agus eolas agat ar an tír. B'fhéidir go dtógfaidh mé liom chun na Spáinne thú.

Orlaith: Cuir uait an smaoineamh, a dhuine! Ní raibh mé ach ag iarraidh comhairle a chur ort.

Comhrá a dó

 Rian 22

An Chéad Mhír

Líon isteach an t-eolas atá á lorg sa ghreille anseo.

Cén **jab** a bhí ag Máire ag an **seó faisin**?	
Cad a cheannaíonn Pól nuair a bhíonn an t-airgead aige?	
Cad a bhí ar siúl ag **col ceathrair** Phóil ag an seó faisin?	
Cad a **deir** Máire faoi chol ceathrair Phóil?	

Gluais

jab: *job*	deir: *say*
seó faisin: *fashion show*	mainicín: *model*
col ceathrair: *cousin*	deis/seans: *chance/opportunity*

An Dara Mír

1. Cad a deir Máire faoi shaol an **mhainicín**?

_____

2. Luaigh **deis (seans) amháin** a bheadh ag Máire mar mhainicín, dar le Pól.

_____

Script:

Pól: Haigh, a Mháire! Gabhaim comhghairdeas leat! Rinne tú jab iontach mar **mhainicín** ag an seó faisin aréir. An mainicín is deise ar fad, is dóigh liom!

Máire: Bhuel, níl a fhios agam faoi sin, a Phóil, ach bhailíomar €5,000 don naíonra nua taobh leis an nGaelscoil. Bhí slua mór i láthair, nach raibh?

Pól: Bhí cinnte. Ceapaim féin go raibh 200 duine ann.

Máire: Thart ar an méid sin is dóigh liom. Ach cuireann sé iontas orm go raibh tusa ann! Cheap mé riamh nach raibh mórán suime agat i gcúrsaí faisin.

Pól: Ní fíor sin, a Mháire! Ceannaím **éadaí deasa** nuair a bhíonn an t-airgead agam agus bainim an-taitneamh as! An bhfuil a fhios agat go raibh col ceathrair liom **ag taispeáint éadaí na bhfear aréir**?

Máire: Ní raibh, a Phóil! An é sin an buachaill atá **thar a bheith dathúil**?

....

Pól: Is é. Ach inis dom, a Mháire, ar mhaith leatsa bheith i do mhainícín?

Máire: B'fhuath liom é, a Phóil – **saol chomh crua, leamh, leadránach leis**!

Pól: B'fhéidir go bhfuil sé crua ach ní dóigh liomsa go bhfuil saol an mhainicín leadránach, a Mháire. Bheadh deiseanna iontacha agat, seans agat **an domhan mór a fheiceáil agus airgead mór a dhéanamh**!

Máire: Is cruthú é sin, a Phóil, ar d'aineolas faoi shaol an mhainicín! Gairm an-chrua is ea í. Bíonn an-strus ag baint léi agus is beag mainicín a thuilleann airgead mór.

Pól: Bíonn claonadh ionatsa, a Mháire, breathnú ar an taobh dorcha den scéal i gcónaí.

Máire: Níl sé sin fíor in aon chor, a Phóil. Tá sé ar intinn agamsa rud éigin fónta a dhéanamh le mo shaol seachas é a chaitheamh le suarachas!

Comhrá a trí

 Rian 23

An Chéad Mhír

1. Cad a bhí **á ndíol** ag Eibhlín ar an tsráid?

_____

2. Cé mhéad airgid **a bailíodh**?

_____

Gluais

á ndíol: *being sold*	bailíodh: *was collected*

An Dara Mír

1. Cad a cheannófar leis an airgead?

_____

2. Luaigh rud **amháin** atá **ag teastáil** fós, dar le hEibhlín.

_____

Gluais

amháin: *one*	ag teastáil: *wanted*

Script:

Micheál: Haigh, a Eibhlín. Chonaic mé thú **ag díol bláthanna** ar an tsráid inné. Cé dó a raibh sibh ag bailiú an airgid?

Eibhlín: Do Chumann Ailse na hÉireann, a Mhichíl. Bhí thart ar scór againn ar an jab agus rinneamar éacht, mise á rá leat!

Micheál: Inis dom é! Cé mhéad a bhailigh sibh?

Eibhlín: Bhailíomar €10,000 in aon lá amháin, creid é nó ná creid! Bhí scata againn ar dualgas os comhair gach ollmhargadh, gach oifig mhór agus gach monarchan ar an mbaile.

Micheál: Iontach! Agus deirtear go bhfuil muintir na hÉireann ag éirí leithleach! Sin bréagnú ceart ar an tuairim sin.

....

Eibhlín: Is ea, gan amhras, a Mhichíl. Chuir cúpla duine nóta caoga euro i mo bhosca-sa! Sin féile duit, a bhuachaill!

Micheál: Bhuel, a Eibhlín, is comhartha aitheantais é sin ar an obair thábhachtach atá ar siúl agaibh. Ach inis seo dom – cad a dhéanfaidh sibh leis an airgead sin ar fad?

Eibhlín: **Ceannóimid mionbhus**, a Mhichíl, le daoine a thabhairt go dtí an t-ospidéal i nGaillimh. Agus rachaidh cuid den airgead don ospís chomh maith.

Micheál: Nár laga Dia sibh! Rinne sibh obair iontach, a Eibhlín.

Eibhlín: Bhuel, más maith is mithid! Tá cúpla rud eile ag teastáil. Fostófar **banaltraí breise le haire a thabhairt do dhaoine ina dtithe féin; freisin cuirfear leapacha breise ar fáil san ospís anseo.**

Micheál: Ádh mór ar an obair go léir; ba bhreá liom cuidiú libh i slí ar bith is féidir liom mar is obair iontach atá ar siúl agaibh.

Cuid C

*Cloisfidh tú **trí cinn** de phíosaí raidió/teilifíse sa chuid seo. Sa scrúdú, cloisfidh tú gach píosa díobh **faoi dhó**.*

*Beidh sos leis na freagraí a scríobh tar éis na chéad éisteachta **agus** tar éis an dara héisteacht.*

Píosa a haon

 Rian 24

Líon isteach an t-eolas atá á lorg sa ghreille anseo.

Ainm an **tsráidbhaile** a bhfuil an leabharlann nua ann.	
An t-ainm atá ar an **bhfoirgneamh** a bhfuil an leabharlann ann.	
An **comhlacht** ar leis an foirgneamh roimhe sin.	
Áis amháin atá sa leabharlann nua.	

Gluais

sráidbhaile: *village*	comhlacht: *company*
foirgneamh: *building*	áis: *facility*

Script:

Osclaíodh leabharlann nua i **mBaile Bhuirne** tamall ó shin. Is i bhfoirgneamh ar a dtugtar '**An Stór**', i gceartlár an bhaile, atá an leabharlann nua suite. Bhí an foirgneamh seo ag an gcomhlacht *Dairygold* go dtí le fíordhéanaí. Seachas an leabharlann, tá **gruagaire**, **siopa caife agus siopa leabhar** san fhoirgneamh. Thóg Comhairle Contae Chorcaí léas 10 mbliana ar an bhfoirgneamh don leabharlann. Tá gach aon áis nua-aimseartha le fáil ann – an t-idirlíon leathanbhanda agus meaisín cóipeála mar shampla, chomh maith le rogha leathan leabhar do dhaoine fásta agus do pháistí.

Píosa a dó

 Rian 25

1. Cad a **léiríodh** i seanscoil Shailearna le déanaí?

_____

2. Cén **teanga** ar scríobh Seán inti i dtosach?

_____

Gluais

léiríodh: *was shown*	teanga: *language*

Script:

Léiríodh **dráma nua** le Seán Ó Gráinne dar teideal *Abair Amach É!* i seanscoil
Shailearna, i gConamara, le déanaí. Is údar aitheanta é Seán Ó Gráinne a scríobhann
amhráin, lúibíní agus agallaimh bheirte. Ba iad Aisteoirí an Spidéil a léirigh an dráma
agus glacadh go rímhaith leis. Scríobh Seán an dráma **i mBéarla** i dtosach agus thóg sé
sé seachtaine air an dráma a aistriú go Gaeilge. Tá súil ag Aisteoirí an Spidéil an dráma a
léiriú i nGaeltachtaí eile sa tír i rith an fhómhair. Léireofar ina dhiaidh sin é ag an
bhFéile Náisiúnta Drámaíochta i mBaile Átha Cliath.

Píosa a trí

 Rian 26

1. Cé mhéad bliain atá **caite** ag an Moinsíneoir Carr mar shagart?

2. Cén **aois** atá ag an Moinsíneoir Carr?

Gluais

aois: *age*	caite: *spent*

Script:

Bhí muintir Ailt a' Chorráin in Iarthar Dhún na nGall ag ceiliúradh an deireadh
seachtaine seo caite. Bhí siad ag tabhairt ómóis don Mhoinsíneoir Daniel Carr a bhfuil
trí scór bliain caite aige mar shagart i bparóistí éagsúla ar fud an Oirthuaiscirt. Chaith sé
seacht mbliana mar shagart ar Árainn Mhór agus thaistil cuid de sheanphobal an oileáin
go hAilt a' Chorráin don ócáid lena meas air a thaispeáint. Tá an **Moinsíneoir 85 bliana
d'aois** ach níl rian ar bith den tseanaois air mar léigh sé an tAifreann gan spéaclaí a chur
air agus níor shuigh sé in am ar bith i rith an Aifrinn.

Cluastuiscint a dó/*Sample listening comprehension*

Cuid A:

 Rian 27

exam focus

The listening comprehension below is an example of the new course.

Fógra a haon: Listen twice

Ceisteanna:

Cén dáta atá luaite?	*1/11 (Samhain)*
Cá bhfuil an lárionad pobail?	*Cluain Meala, Tiobraid Árann*
Cad a bheidh ar díol ann?	*Seantroscán, éadaí, leabhair, trealamh spóirt, dlúthdhioscaí*
Cén t-am a chríochnóidh an lá?	*6*

Script:

Ar an **gcéad lá de mhí na Samhna,** beidh an díolachán saothair faoi lánseol. Tosóidh an eachtra bhliantúil ar a naoi a chlog sa lárionad pobail i **gCluain Meala, Co. Thiobraid Árann.** Tagann a lán daoine ó chian is ó chongar chun, **seantroscán, éadaigh, leabhair, chomh maith le trealamh spóirt agus dlúthdhioscaí a cheannach.** Táthar ag tuar go dtosóidh an eachtra ar a dó dhéag, agus críochnóidh an lá ar thuairim is a **sé a chlog.**

 Rian 28

Fógra a dó: Listen twice

Ceisteanna:

Cén coiste spóirt atá luaite san fhógra?	
Cad atá ag teastáil uathu?	
Cad atá ag teacht go luath?	
Luaigh dhá rud atá riachtanach don lá.	

Script:

Beidh an **Club Hillview leadóige** ar oscailt an mhí seo chugainn. Tá an coiste leadóige Hillview ag lorg **imreoirí nua atá in ann an spórt a imirt.** Tá trí ghrúpa le fáil sa chlub agus tá fáilte roimh gach leibhéal. Beidh **craobh leadóige** na contae ag tarlú tar éis na Nollag. Don chéad lá tá trealamh spóirt mar aon le héadaí spóirt an-tábhachtach. Tá **táille 50 euro riachtanach don lá.**

Rian 29

Fógra a trí: Listen twice

Ceisteanna:

Cad atá a lorg?	
Cad atá riachtanach don phost?	
Cén aois iad na páistí?	
Cad a dhéanfaidh an duine sa teach?	

Script:

Tá **feighlí leanaí** á lorg le **taithí oibre agus Gaeilge líofa** ar Ascail Uí Ghríofa, Baile Átha Cliath 3. Tá na huaireanta oibre gach Luan go hAoine óna naoi go dtí a dó chuile lá. Tá triúr páistí — **cúig mhí dhéag d'aois go dtí ceithre bliana d'aois** — sa teach. Caithfidh tú páiste amháin a thabhairt abhaile ón scoil áitiúil gach lá ar a haon. Tá **obair tí** le déanamh mar aon le béilí a ullmhú. Cuir glao ar Dheirdre Ní Laighin ar 087–33690351.

Cuid B: Comhrá a haon

 Rian 30

Listen twice

Ceisteanna:

Cad atá cearr le Nollaig?	
Tabhair teideal na haiste.	
Cén spriocdháta atá tugtha dóibh?	
Cá mbuailfidh siad le chéile amárach?	

Script:

Seán: A Nollaig, conas atá tú?

Nollaig: Bhuel, a Sheáin, táim i ndrochshlí chun na fírinne a rá.

Seán: Cad tá cearr leat? An bhfuil tú sa bhaile?

Nollaig: An gcreidfeá é, a Sheáin, táim ar an idirlíon ag fáil eolais agus **stop sé ag obair.** Mar is eol duit, tá an aiste Béarla againn agus chaill mé mo nótaí go léir faoi *Wuthering Heights.*

Seán: Bhuel, tá dea-scéal agam duit, tá mo ríomhaire glúine agam agus táim sásta é a thabhairt duit nuair a thiocfaidh mé isteach ar scoil amárach.

Nollaig: A Sheáin, is laoch thú! An bhfuil an aiste déanta agat cheana féin? Nach teideal uafásach é? '**Grá millteach**'; an bhfuil an múinteoir i ndáiríre?

Seán: Dhein mé é tráthnóna inné. Bhí mé cráite leis, chaith mé trí huaire ar an obair gharbh! Scríobh mé ceithre leathanach ag an deireadh!

Nollaig: Chonaic mé an scannán mar ní raibh an t-am agam chun é a léamh leis an gcraobh iománaíochta tráthnóna inné.

Seán: A Nollaig, ná bí buartha, tá a lán ama agat. Thug an múinteoir spriocdháta **Aoine** dúinn. Caithfidh mé imeacht, **cífidh mé thú amárach** ag an rang rolla le mo ríomhaire glúine!

Nollaig: Is slánaitheoir thú! Slán, a Sheáin!

Comhrá a dó:

 Rian 31

Ceisteanna:

Cad a bhí cearr le Diarmaid?	
Luaigh dhá chomhartha tinnis a bhí aige?	
Cad atá ar siúl ar an Aoine?	
Cén nuacht atá aici dó?	

Script:

Síle: Haileo

Diarmaid: A Shíle, Diarmaid anseo; conas atá cúrsaí?

Síle: A Dhiarmaid, nílim ródhona in aon chor; cad fútsa?

Diarmaid: Bhuel **buaileadh breoite** mé inné so, bhíos sa leaba don lá go léir ach táim seacht n-uaire níos fearr anois.

Síle: Créatúr bocht! Céard a tharla duit? An mbeidh tú ag an gcóisir Dé hAoine?

Diarmaid: An gcreidfeá é, bhíos ag ithe mo bhricfeasta inné nuair a thosaigh **mé ag cur allais** go tiubh, bhí **fiabhras orm** agus thosaigh mé **ag cur amach**. Eh … eh… maidir leis an gcóisir, tá ceist agam duit...

Síle: An bhfaca tú an dochtúir? Ar chaith tú piollaí? Céard í an cheist atá agat?

Diarmaid: Ná bac le mo thinneas, a Shíle, táim ar fónamh anois! Ach ar mhaith leat teacht liom go dtí **an chóisir**? Mar, mar, mar... mo dháta b'fhéidir?

Síle: A Dhiarmaid, nár chuala tú? Táim **ag siúl amach le Tomás Ó Dálaigh le dhá sheachtain anuas**. Tá brón orm, ní raibh a fhios agam go raibh suim agat ionam!

Diarmaid: Eh … eh … Ná bac liom, táim imithe as mo mheabhair leis an tinneas! Tá mo Mham ag teacht, caithfidh mé rith!

Síle: A Dhiarmaid … a Dhiarmaid … ?

Comhrá a trí:

 *Rian 32*

Ceisteanna:

Cén fáth a raibh cuma na feirge ar an Dad?	
Luaigh na rudaí a rinne sí dar leis an bpríomhoide.	
Cá fhad atá Sarah ag caitheamh tobac?	
Cá raibh Sarah ar an lá atá luaite?	

Script:

Dad: A Sarah, tar anseo láithreach, tá tú i bponc ceart anois ...

Sarah: Bhuel, a Dhaid, ná bí dom chrá; cén fáth a bhfuil cuma na feirge ort?

Dad: Tá tú imithe sa diabhal, a Sarah, tú féin is do thoitíní. An gceapann tú gurbh amadán cheart mé? **Bhí do phríomhoide ar an bhfón**. Tá do phort seinnte anois. Tabhair dom na toitíní agus mínigh **do mhúitseáil ón scoil** dom chomh maith.

Sarah: A Dhaid, cá bhfuair tú an raiméis sin? Ag caitheamh tobac? Ní dóigh liom é, táim róthugtha spórt mar is eol duit, agus ag múitseáil, a leithéid de raiméis níor chuala mé riamh!

Dad: Anois a Sarah, stop ag insint bréige, dúirt do phríomhoide go bhfuil tú ar do chosa deiridh sa scoil seo anois. Bí macánta liom, in ainm Dé!

Sarah: Ceart go leor, ceart go leor, caithim tobac le **cúpla mí anois**. Sin é, a Dhaid, ach bím ar scoil gach uile lá gan aon agó.

Dad: Tá sé ag teacht amach anois a Sarah, ar aghaidh leis an bhfírinne. Cá raibh tú Déardaoin seo caite?

Sarah: Bhí mé ar scoil, a Dhaid, an áit chéanna gach lá.

Dad: Ach tá an príomhoide cinnte go raibh tú ar iarraidh tar éis lóin. Ag caitheamh tobac áit éigin?

Sarah: Déardaoin seo caite ... fan go bhfeice mé, a Dhaid ... ó sea! Bhí coinne agam **leis an bhfiaclóir** i dTrá Lí.

Dad: Taispeáin dom do bhosca toitíní ar dtús, taispeáin dom an cárta leis an gcoinne.

Sarah: Gheobhaidh mé iad láithreach ...

Cuid C: Píosaí Nuachta

Éist le gach píosa díobh faoi dhó.

Píosa a haon:

 Rian 33

Ceisteanna:

Cén baile inar sheol Fiona a ceirnín?	
Cé mhéad píosa ceoil atá ar an gceirnín?	
Cá bhfuil sé le cloisteáil?	
Cá bhfuil sé ar díol?	

Script:

Bhí slua ollmhór i dteach tábhairne 'An Bonnan Buí' i mBaile na hInse aréir nuair a sheol an t-amhránaí áitiúil Fiona Ní Riain a céad cheirnín. Dhá phíosa dhéag ceoil atá ar an gceirnín. Seinneann sí an fheadóg stáin agus is minic a bhíonn sí le cloisteáil ar RnaG. Thosaigh an t-amhránaí ag leanúint a paisin ina hóige agus tá an t-albam ceoil ar díol timpeall na tíre in HMV agus in Virgin.

Píosa a dó:

 Rian 34

Ceisteanna:

Conas a thosaigh an lá?	
Conas a bheidh an aimsir san iarnóin?	
Conas a bheidh sé sa tuaisceart?	
Conas a bheidh an aimsir sa deisceart?	

Script:

Agus anois réamhaisnéis na haimsire. Inniu, thosaigh an lá le ceathanna báistí mar aon le scamaill dhorcha. Beidh an teocht ag ardú le linn an lae agus beidh sé i bhfad níos teo san iarnóin. Amárach sa tuaisceart beidh ardú sa teocht. Táthar ag tuar lá geal, te le gaoth bhog ag séideadh. Sa deisceart, áfach, ní bheidh sé chomh hálainn; beidh sé níos fuaire le teocht íseal, naoi gcéim. Maidin mhaith.

Píosa a trí:

 *Rian 35*

Ceisteanna:

Cathain a chuirfidh sé tús leis?	
Cé a bheidh ag tabhairt urraíochta don rás?	
Cá mbeidh sé ag tosnú?	
Cé a bheidh ann mar aoi speisialta?	

Script:

Cuirfidh an Taoiseach Enda Kenny tús Dé Domhnaigh seo chugainn le slógadh Chumann Rothaíochta na hÉireann. Déanfaidh an chomhlacht *Nissan* urraíocht ar an rás. Beidh an rás ag tosnú ag meán lae ó Ard-Oifig an Phoist i mBaile Átha Cliath. Is rás ollmhór é, agus i mbliana beidh foireann on mBreatain Bheag ag glacadh páirte! Beidh an t-aoi speisialta — Cathal Ó Searcaigh, an file cáiliúil — ag an oscailt oifigiúil. Beidh sé beo le feiceáil ar *TG4* an mhí seo chugainn.

If you don't understand any words, look them up in the dictionary. This will make understanding scripts much easier.

3 Páipéar a hAon: Ceapadóireacht/ *Composing*
(17% – 100 marc)

Páipéar a hAon: Uair go leith/1½ hours

aims

- To be able to write a short piece of continuous prose in Irish with few or no errors.
- To prepare a range of possible exam topics and to approach the Ceapadóireacht section with confidence.

Option A: Giota Leanúnach/Blag (50 marc)

key point

The Giota Leanúnach/Blag is a piece of writing about personal outlooks on things ranging from 'My hobby' to 'Young people in Ireland today'.

exam focus

Within the Ceapadóireacht exam, this is one of four options; you have to answer only two options from the four and may find certain styles suit you better than others.

What you need to know

- The length should be **150 words (15–20 lines)**.
- Make sure you understand **the title** and make sure you have the vocabulary to write the required amount.
- *Déan plean*: make a **plan**, jot down your ideas and the phrases that you can put in.
- Organise your ideas in logical order.
- Use an **introduction**, three to four **solid points** and a **conclusion**.
- Most marks are for *an Ghaeilge* here, not for content; your accuracy is vital.
- Be careful with **tenses!**
- Use **short, simple** sentences.
- **Reread!**

exam
focus

Past Titles: Answer one of A, B or C.
You have a choice of three here.

2008:	a) An aimsir in Éirinn (The weather in Ireland)
	b) An áit is fearr liom ar domhan (My favourite place in the world)
	c) Ní maith liom an Luan (I don't like Mondays)
2007:	a) Oíche Shatharn an oíche is fearr liom (Saturday night is my favourite night)
	b) An fhadhb is mó in Éirinn inniu (The biggest problem in Ireland today)
	c) An saol a bhíonn ag réaltaí ceoil (The life popstars lead)
2006:	a) Samhradh na Bliana 2005 (Summer 2005)
	b) Éire an tír is fearr ar domhan (Ireland is the best country in the world)
	c) Spórt (Sport)
2005	a) Bíonn saol breá ag daoine óga (Young people have a great life)
	b) Timpistí bóthair (Road accidents)
	c) Ceol (Music)

Below are examples of commonly-used **present tense verbs**:

Tá sé/sí/siad: *he/she/they are*

Déanann sé/sí/siad: *he/she/they do/make*

Téann sé/sí/siad: *he/she/they go*

Imríonn sé/sí/siad: *he/she/they play (sport)*

Glaonn sé/sí/siad: *he/she/they call*

Faigheann sé/sí/siad: *he/she/they get*

Seinneann sé/sí/siad: *he/she/they play (music)*

Tugann sé/sí/siad: *he/she/they give/bring*

Tógann sé/sí/siad: *he/she/they take/lift*

Feiceann sé/sí/siad: *he/she/they see*

Tagann sé/sí/siad: *he/she/they come*

Scríobhann sé/sí/siad: *he/she/they write*

Deir sé/sí/siad: *he/she/they say*

Siúlann sé/sí/siad: *he/she/they walk*

Cabhraíonn sé/sí/siad: *he/she/they help*

Taispeánann sé/sí/siad: *he/she/they show*

Ceannaíonn sé/sí/siad: *he/she/they buy*

Cailleann sé/sí/siad: *he/she/they lose*

key
point

Watch your tenses here! If you are writing about your hobbies, write it all in the present tense (look at pages 36–38 in this layout).

Below is a list of commonly-used **past tense verbs**:

But if the title is 'Samhradh na Bliana 2005', the events of that summer are clearly over and you will be expected to write in the past tense (look at pages 44, 45).

D'fhan mé/d'fhanamar: *I/we stayed*

D'fhág mé/d'fhágamar: *I/we left*

Chuir mé/chuireamar: *I/we put*

Chuaigh mé/chuamar: *I/we went*

D'fhill mé/d'fhilleamar: *I/we returned*

D'ith mé/d'itheamar: *I/we ate*

Chonaic mé/chonaiceamar: *I/we saw*

D'fhéach mé/d'fhéachamar: *I/we watched*

Ba mhaith liom/linn: *I/we loved*

Dhúisigh mé/dhúisíomar: *I/we awoke*

Chaith mé/chaitheamar: *I/we spent*

Shroich mé/shroicheamar: *I/we reached*

Cheannaigh mé/cheannaíomar: *I/we spent*

Rinne mé/rinneamar: *I/we made/did*

Shnámh mé/shnámhamar: *I/we swam*

D'fhreastail mé/d'fhreastalaíomar: *I/we attended*

D'imir mé/d'imríomar: *I/we played*

Rothaigh mé/rothaíomar: *I/we cycled*

Léim mé/léimeamar: *I/we jumped*

Thosaigh mé/thosaíomar: *I/we started*

Bhailigh mé/bhailíomar: *I/we collected*

Nathanna: *Phrases*

le déanaí: *recently*

fadó: *long ago*

blianta ó shin: *years ago*

ina dhiaidh sin: *afterwards*

ar thaobh amháin: *on one side*

thairis sin: *besides that*

is iomaí: *it's many*

ní foláir dom: *I must*

Is ionadh liom: *it's a wonder to me*

pé scéal é: *anyway*

tá a fhios ag an saol: *everyone knows*

luath nó mall: *sooner or later*

práinneach: *urgent*:
  is ábhar práinneach é: *it's an urgent matter*

conspóideach: *controversial*:
  is ábhar conspóideach é: *it's a controversial subject*

Go back over the vocabulary from the chapter on the Oral (Chpt 1) which is suitable for the topics asked.

go mall: *slowly*

le tamall beag anuas: *for the past while*

tamall ó shin: *a while ago*

sin scéal eile: *that's another story*

ar an taobh eile: *on the other side*

ní bhaineann sin leis an scéal: *that doesn't matter*

is cosúil/is amhlaidh: *it seems*

cuireann sé déistin orm: *it disgusts me*

is mithid dom: *it's time for me*

ar éigean: *barely*

is cuma liom: *I don't care*

faoi lánseol: *in full swing*

Common topics:

1) An tAos Óg: *The Youth*

an fhadhb: *the problem*

ógánaigh, an óige: *the youths*

déagóirí/saol an déagóra: *teenagers/life of a teenager*

tuismitheoirí: *parents*

frithshóisialta: *anti-social*

teaghlaigh neamhfheidhmiúla: *dysfunctional families*

smacht: *control*

in adharca a chéile: *at loggerheads*

drugaí agus an t-ólachán: *drugs and drink*

alcól: *alcohol*

ar ragús óil: *on a drinking session*

drochthionchar: *bad influence*

dea-thionchar: *good influence*

clubanna óige: *youth clubs*

easpa áiseanna: *lack of facilities*

popcheol, rac-cheol, snagcheol: *pop, rock, jazz music*

a lán deiseanna: *a lot of opportunities*

an iomarca saoirse: *too much freedom*

tugann a tuistí saoirse dóibh: *their parents give them freedom*

piarbhrú: *peer pressure*

2) An Córas Oideachais: *The Education System*

scrúdaigh: *examine*

scrúdú: *exam*

rás na bpointí: *points' race*

ollscoil: *university*

grád, gráid: *grade, grades*

ábhair scoile: *school subjects*

áiseanna scoile: *school facilities*

cúrsa: *course*

corpoideachas: *P.E.*

An Roinn Oideachais agus Scileanna: *Department of Education and Skills*

An tAire Oideachais: *the Minister of Education*

an córas: *the system*

cúrsaí scoile: *school affairs*

céim a bhaint amach: *to get a degree*

táillí tríú leibhéal: *3rd level fees*

deontas: *grant*

slí bheatha: *profession*

brú scoile: *school pressure*

Anois: **Now do one yourself! Try to write a piece about 'An tAos Óg Inniu' with the vocabulary above. Remember to use the correct tense!**

Anois: **Now try to write one yourself called 'An Córas Oideachais Inniu'. Remember to use the correct tense!**

3) Spórt: *Sport*

Imrím ... rugbaí, haca, peil, sacar, snúcar, iománaíocht, camógaíocht

imreoir: *player*

cúl báire: *goalie*

lántosaí: *full-forward*

lánchúlaí: *fullback*

liathróid: *ball*

comórtas: *competition*

bonn: *medal*

réiteoir: *referee*

Corn an Domhain: *The World Cup*

sárchluiche: *a great game*

taitneamh agus tairbhe: *enjoyment and benefit*

cleachtadh coirp: *exercise*

aclaí: *fit*

Craobh na hÉireann: *All-Ireland*

cluichí foirne: *team games*

4) Teilifís agus raidió: *TV and radio*

clár teilifíse: *TV programme*

clár cainte: *talk programme*

seó: *show*

clár ceistiúcháin: *quiz*

clár siamsaíochta: *entertainment programme*

ceadúnas: *licence*

lucht féachana: *audience*

clár oideachais: *educational programme*

clár faisin: *fashion programme*

cláir éagsúla: *various shows*

clár grinn: *comedy*

Ní féidir liom cur suas le ...: *I can't stand ...*

an iomarca seafóide ó Mheiriceá: *too much rubbish from America*

fógraíocht: *advertising*

láithreoir leanúnachais: *continuity announcer*

láithreoir: *presenter*

Raidió na Gaeltachta/Raidió na Life

cainéal: *channel*

cabhraíonn sé le seandaoine: *it helps the elderly*

is cur amú ama é: *it's a waste of time*

Anois: **Now, try one yourself called 'Mo Chaitheamh Aimsire'.**
Remember to use the correct tense!

Anois: **Now try one yourself called 'An Clár Teilifíse is fearr'.**
Remember to use the correct tense!

5) Taisteal: *Travel*

timpeall an domhain: *around the world*

timpeall na tíre: *around the country*

taithí: *experience*

paisinéirí: *passengers*

bagáiste: *baggage*

tír/tíortha: *country/countries*

traein/traenacha: *train/trains*

modhanna taistil: *modes of travel*

pas: *passport*

óstán: *hotel*

lóistín: *accommodation*

nósanna agus cultúr na tíre: *customs and culture of the country*

teanga/teangacha: *language(s)*

caighdeán maireachtála: *standard of living*

an t-aerfort: *the airport*

lucht saoire: *holidaymakers*

ar saoire: *on holiday*

ag déanamh bolg le grian: *sunbathing*

láithreán campála: *campsite*

carbhán: *caravan*

puball: *tent*

turasóireacht: *tourism*

6) Ceol agus caitheamh aimsire: *Music and hobbies*

banna ceoil: *band*

feadóg stáin: *tin whistle*

ceolfhoireann: *orchestra*

ceoltóirí: *musicians*

ag seinm: *playing*

amhrán: *song*

amhránaí: *singer*

ceoldráma: *opera*

pianó: *piano*

ardán: *stage*

an slua ollmhór: *the huge crowd*

ag bualadh bos: *clapping*

pléascán: *explosion*

gléasanna ceoil: *instruments*

ceolchoirm: *concert*

lucht leanúna: *fans*

téipthaifeadán: *tape recorder*

ceirnín: *record*

dlúthdhiosca: *CD*

fístéip: *videotape*

físdiosca digiteach: *DVD*

drámaíocht: *the theatre*

amharclann: *a theatre*

togha ceoil: *great music*

aisteoir: *actor*

cluichí ríomhaire: *computer games*

scannánaíocht: *film-making*

cócaireacht: *cooking*

ag dreapadóireacht: *climbing*

a bheith amuigh faoin aer: *being outdoors*

Anois: Now, try one yourself called 'An Saoire is fearr'.
Remember to use the correct tense!

Anois: Now, try one yourself called 'An Cheolchoirm is fearr'
Remember to use the correct tense!

7) Timpistí: *Accidents*

sioc: *frost*

sleamhain: *slippy*

Timpistí agus Éigeandáil: *A & E*

brú tráchta: *traffic congestion*

trácht: *traffic*

soilse tráchta: *traffic lights*

slán sábháilte: *safe and sound*

crios sábhála: *safety belt*

chas sé bunoscionn: *he flipped over*

tháinig na Gardaí: *the Gardaí came*

baolach: *dangerous*

an dochtúir: *the doctor*

tugadh go dtí an t-ospidéal mé: *I was brought to the hospital*

cuireadh ar shínteán mé: *I was put on a stretcher*

x-gha: *x-ray*

ceadúnas tiomána: driving licence

an Dlí: *the Law*

tiománaí: *driver*

luas: *speed*

an t-ól: *the drink*

triail tiomána: *driving test*

tar éis am dúnta: *after closing time*

meisceoirí: *drunks*

contúirt: *danger*

ní fiú dul sa seans: *it's not worth taking the chance*

8) Fadhbanna sóisialta: *Social problems*

fadhb an óil: *the problem of drink*

fadhb na ndrugaí: *the problem of drugs*

colscaradh: *divorce*

frithghiniúint: *contraception*

ginmhilleadh: *abortion*

ag bolú gliú: *sniffing glue*

andúileach drugaí: *drug addict*

an Rialtas: *the Government*

rátaí dífhostaíochta: *rates of unemployment*

ganntanas post: *lack of jobs*

ganntanas airgid: *lack of money*

easpa suime agus measa: *lack of interest and respect*

níl go leor áiseanna ann: *there are not enough facilities*

seandaoine: *old people*

an pinsean: *the pension*

ag fáil cabhair: *getting help*

carthanais: *charities*

na bochtáin: *the poor*

bochtaineacht: *poverty*

mná batráilte: *battered women*

hearóin: *heroin*

eagraíochtaí deonacha: *voluntary organisations*

Cumann Naomh Uinseann de Pól: *Society of St Vincent de Paul*

riachtanais na beatha: *the necessities of life*

ag dul in olcas: *getting worse*

7) Timpistí: *Accidents*

tá na bóithre lán de phoill: *the roads are full of holes*

pionós: *penalty*

deoch: *drink*

anáileadán: *breathalyser*

8) Fadhbanna sóisialta: *Social problems*

ag dul i bhfeabhas: *getting better*

an Chomhairle Contae: *The County Council*

scéim oibre: *work scheme*

creachadóireacht: *vandalism*

coiriúlacht: *criminality*

foréigean: *violence*

gunnaí: *guns*

robálacha: *robberies*

Anois: **Now try one yourself called 'Timpiste ar an mbóthar'.**

Remember to use the correct tense!

Anois: **Now try one yourself called 'An Fhadhb is mó in Éirinn'.**

Remember to use the correct tense!

---

9) An Aimsir agus na séasúir: *Weather and seasons*

an t-earrach: *the spring*

an samhradh: *the summer*

an fómhar: *the autumn*

an gheimhreadh: *the winter*

key point

i lár an earraigh: in the middle of Spring

i lár an tsamhraidh: in the middle of Summer

i lár an fhómhair: in the middle of Autumn

i lár an gheimhridh: in the middle of Winter

9) An Aimsir agus na Séasúir: *Weather and seasons*

fuar, fuacht: *cold, coldness*

an teocht: *the temperature*

drochaimsir: *bad weather*

dea-aimsir: *good weather*

bhí an ghrian ag scoilteadh na gcloch: *the sun was splitting the stones*

míonna na bliana: *the months of the year*

dó gréine: *sunburn*

dath gréine: *suntan*

leac oighir: *sheet of ice*

calóga sneachta: *snowflakes*

bhí na bóithre sleamhain: *the roads were slippy*

stoirm: *storm*

stoirmiúil: *stormy*

toirneach agus tintreach: *thunder and lightning*

ceo: *fog*

teas: *heat*

céim: *degree*

grianmhar: *sunny*

Anois: **Now try one yourself called** *'An Samhradh 2011'*

Remember to use the correct tense!

Samplacha

Sampla a haon:

Mo rogha caitheamh aimsire:
My choice of hobby

key point

These are in order of easiest to most difficult.
Common phrases are in bold.
Each sample is slightly longer than the 150
words you will be asked to write in the exam.

Is breá liom a lán caitheamh aimsire, **i ndáiríre**. Bhain mé triail as an bpeil, as an snámh, agus as karate uair amháin!

I love a lot of hobbies in fairness. I tried football, swimming and karate once!

Tá a lán áiseanna spóirt in aice liom. Tá an halla spóirt an-úsáideach agus téim ann gach Satharn. Tá cleachtadh coirp **tábhachtach** don duine. Déanaim a lán cairde ón spórt freisin. Is duine an-spórtúil agus aclaí mé, **bainim sult as** a lán spórt!

There's a lot of sports facilities near me. The sports hall is very useful and I go every Saturday. Exercise is important for the individual. I make a lot of friends from sport also. I'm a really sporty and fit person, I enjoy a lot of sports!

Fuair mé rothar le déanaí — ceann dearg agus glas. Téim ar scoil gach lá ar rothar agus bím ag rothaíocht **timpeall na háite** gach trathnóna. Is aoibhinn liom é.

I got a bike lately — a red and green one. I go cycling every day to school and around the place every evening. I love it.

Chomh maith leis sin, éistim le ceol ó mhaidin go hoíche. Tá iPod agam agus úsáidim é ar mo shlí abhaile ón lár ag an deireadh seachtaine. Is breá liom U2 **go háirithe**. Tá gach aon albam leo agam. **Anuraidh**, chuaigh mé go dtí Páirc an Chrócaigh i mBaile Átha Cliath mar bhí ceolchoirm leo **ar siúl**. Oíche de mo shaol a bhí ann. Bhí sé **dochreidte**.

As well as that, I listen to music from dawn to dusk. I have an iPod and I use it on my way home from the city at the weekend. I love U2 especially. I have all their albums. Last year, I went to Croke Park in Dublin as their concert was on. I had the night of my life. It was incredible.

Thar aon rud eile – mo phaisean ná camógaíocht. Imrím leis an bhfoireann áitiúil 'Na Fianna' i nDrom Conrach. Bíonn traenáil agam gach Máirt agus gach Aoine. Is breá liom é, imrím i lár na páirce agus bíonn cluichí againn gach dara seachtain. Táim an-chairdiúil leis na cailíní ar an bhfoireann agus bíonn an-chraic againn ag an traenáil. Féachaim ar an spórt seo ar an teilifís gach samhradh freisin. Is duine an-spórtiúil mé.

Above all else — my passion is camogie. I play with the local team 'Na Fianna' in Drumcondra. I have training every Tuesday and Friday. I love it, I play midfield and we have games every second week. I'm really friendly with the girls on the team and we have great fun at training. I watch this sport on the TV every summer also. I am a really sporty person!

Sampla a dó:

An Fharraige:
The Sea

Rugadh cois farraige mé agus tá grá agam di. **Níor mhaith liom** a bheith i mo chónaí as radharc na mara istigh **i lár na tíre**. Níl a fhios agam conas a chónaíonn daoine ann! Tá áilleacht **ag baint** leis an bhfarraige lá ciúin samhraidh, áilleacht nach bhfuil le feiceáil aon áit eile. Is aoibhinn liom an fharraige nuair a bhíonn an ghrian ag scoilteadh na gcloch agus **istoíche** nuair a bhíonn fuaim na dtonnta le cloisteáil. **Is minic** a luím faoin ngrian ar an trá, á thógáil go bog! **Ba mhaith liom** lá éigin seoladh amach go hoileán éigin.

I was born beside the sea and I love it. I wouldn't like to live in the middle of the country out of sight of the sea. I don't know how people can live there! There is a beauty associated with the sea on a quiet summer day, a beauty that cannot be seen anywhere else. I love the sea when the sun is splitting the stones and at night when the sound of the waves can be heard. I often lie sunbathing on the beach, taking it easy! I would like to sail out someday to some island.

Ach, **uaireanta**, cuireann an fharraige eagla orm. Nuair a bhíonn sé stoirmiúil is minic a bhím scanraithe. Bíonn na tonnta mór feargacha ag bualadh na trá. **Mothaím** faoi bhagairt ag an am sin. Agus uaireanta nuair a bhíonn an trá folamh, is áit scanrúil í!

But sometimes the sea frightens me. When it is stormy, I am often scared. The big, angry waves beat against the beach. And sometimes when the beach is empty, it is a scary place!

Téim ag snámh inti **go minic**, **áfach**, is breá liom an t-uisce úr, folláin, gorm. Is aoibhinn liom mo chosa a nochtadh ar an ngaineamh glan! Is iontach an radharc, **i lár an tsamhraidh** nuair atá an ghrian ag spalpadh, na daoine ag marcaíocht toinne gan chúram, agus na báid ag seoltóireacht agus ag baint suilt as an saol!

I go swimming in it often, however, I love the fresh, healthy, blue water. I love to bare my feet on the clean sand! It's a wonderful sight, in the middle of the summer when the sun is shining, the people surfing without a care, and the boats sailing and enjoying life!

Tá rud amháin cinnte: '**níl aon tinteán mar do thinteán féin**'.

One thing is sure: 'there's no place like home'.

Sampla a trí:

An Córas Oideachais:

The Education System

Táim sa séú bliain anois, ag teacht go deireadh na hArdteiste – **buíochas mór le Dia!** – an bhliain **is measa** i mo shaol. Anois, go minic, bím **ag féachaint siar** ar na blianta a chaith mé anseo sa mhéanscoil seo. **Gan dabht** ar bith, **i ndáiríre**, ceapaim go bhfuil an córas oideachais anseo in Éirinn uafásach. Mothaím **go láidir** faoin ábhar seo. **Chun an fhírinne a rá**, níl an córas ag freastal ar an duine do shaol réadúil **na linne seo** atá ag druidim linn.

Féach ar na háiseanna, nó an easpa áiseanna, atá le fáil sa scoil inniu. **Lá i ndiaidh lae**, feicimid an scoil **ag titim as a chéile**, gan cóta péinte le fada an lá.

Braitheann gach rud ar thorthaí na hArdteiste. An bhfuil sé **cothrom**? **Ní dóigh liom é!** I mo thuairim, bheadh measúnach leanúnach **níos fearr**.

Rud eile a **chuireann isteach orm** ná daoine ag rá go bhfuil an t-ádh linn mar tá oideachas 'saor' in Éirinn! Arís, **ní dóigh liom é!** Cad faoi na táillí bus, éide scoile, turais scoile, costais leabhar **agus araile**? Tá athrú ag **teastáil uainn cinnte!**

Níl pearsantacht an duine **tábhachtach** sa chóras seo ach oiread. Mholfainn don Rialtas leasú a dhéanamh agus agallamh agus tionscnamh a chur i bhfeidhm roimh ollscoil.

Ar aon nós, **tá mo chosa féin ar bhun dhréimire na beatha** agus tá súil agam **go n-éireoidh liom** sna scrúduithe **neamhchothroma** seo! Abair paidir ar mo shon!

I'm in sixth year now, coming to the end of the Leaving Cert – thanks be to God! – the worst year of my life. Now I often look back on the years I spent here in this secondary school. Without a doubt, seriously, I feel that the education system here in Ireland is terrible. I feel strongly about this subject. To tell the truth, the system is not catering for the individual for the realistic life of today that is facing us.

Look at the facilities, or the lack of facilities, available in the school today. Day after day, we see the school falling apart, without a coat of paint for ages.

Everything depends on the Leaving Cert. results. Is it fair? I don't think so! In my opinion, continuous assessment would be better.

Another thing that bothers me is people saying we are lucky because education is 'free' in Ireland. Again, I don't think so! What about bus fares, school uniform, school trips, book expenses and so on? We definitely need a change!

A person's personality is not important either in this system. I would advise the Government to bring in a reform and to establish an interview and project before university.

Anyway, my own feet are on the bottom of the ladder of life and I hope that I will succeed in these unfair exams! Say a prayer for me!

Sampla a ceathair:

Timpistí ar an mbóthar:
Accidents on the road

Lá i ndiaidh lae, cloisim scéalta faoi thimpistí ar na bóithre. Gach lá, tá daoine neamhurchóideacha ag fáil bháis de bharr úsáid an fhóin phóca, alcól agus **an rud is comónta** — luas. Tá brú tráchta ann gach lá agus bíonn tiománaithe **faoi strus** agus mífhoighneach agus an tae ag teastáil uathu. Gach bliain, faigheann na céadta duine bás ar na bóithre in Éirinn. Is bocht an scéal é. **I mbliana** leis an 'Sioc Mór' bhí an méid níos mó, **cinnte**. Bhí na bóithre sleamhain agus bhí na bóithre **baolach**.

Freisin, cloisimid faoi dhaoine atá caoch **ar meisce** ag tiomáint abhaile go míchúramach. Tá **an dlí** róbhog ar na daoine seo. **Chomh maith leis sin**, tiománann daoine róthapaidh, go hamaideach agus mar sin bíonn a lán timpistí gach seachtain.

Tá an **locht** ar an ngnáthdhuine anseo ach tá an teorainn luais ró-ard i mo thuairim. Tá na bóithre róchúng freisin, tá easpa spáis ar na bóithre agus tarlaíonn a lán timpistí ar bhóithre tuaithe mar gheall air sin. Tarlaíonn a lán timpistí i lár na hoíche.

Bliain ó shin, chuir **an Rialtas** dlí nua i bhfeidhm. Anois caithfidh gach duine ceadúnas lán a fháil láithreach agus níl cead acu aon charr a thiomáint gan duine le ceadúnas lán. **Gan dabht** tá cúrsaí ag **dul i bhfeabhas** mar gheall ar an dlí seo, ach mar a deir an seanfhocal: '**is maith an scéalaí an aimsir**'.

Day after day, I hear stories about accidents on the roads. Every day innocent people are dying due to the use of mobile phones, alcohol and the most common thing – speed. There is traffic congestion every day and drivers are under stress and impatient and wanting their tea. Every year hundreds of people die on the roads in Ireland. It's a sad state of affairs. This year, with the 'Big Freeze', the amount was bigger, definitely. The roads were slippy and the roads were dangerous.

Also, we hear about people who are blind drunk driving home carelessly. The law is too soft on these people. As well as that, people drive too fast, stupidly and so there are a lot of accidents each week.

The blame is on the ordinary person here, but the speed limit is too high in my opinion. The roads are too narrow also, there is a lack of space on the roads and a lot of accidents happen on country roads. A lot of accidents happen in the middle of the night.

A year ago, the Government enacted a new law. Now everyone must get a full licence immediately and they are not allowed to drive any car without someone with a full licence. Without a doubt, things are improving because of this law, but, as the proverb goes: 'time will tell'.

Option B: An Scéal (50 marc)

You have a choice here of two questions.

Within the Ceapadóireacht exam, this is one of four options; you have to answer only two options from the four and may find certain styles suit you better than others.

What you need to know

- The length should be **150 words (15–20 lines)**.
- Make sure you understand **the title** and make sure you have the vocabulary to write the required amount.
- **Don't use direct speech i.e. Dúirt Seán'...'**
- *Déan plean*: make a **plan**, jot down your ideas and the phrases that you can put in.
- Organise your ideas in logical order.
- Use an **introduction**, three to four **solid points** and a **conclusion**.
- Most marks are for *an Ghaeilge* here; your accuracy is vital.
- Be careful with **tenses!**
- Use **short, simple** sentences!
- **Reread!**

The *Scéal* is a descriptive piece of writing about an event that happened to you.

Sample questions: Do **either** a) or b)

2008:	a) Bhí gach duine sa seomra feithimh ag léamh go ciúin. Níor thaitin sé liom riamh cuairt a thabhairt ar an bhfiaclóir. *Everyone in the waiting room was reading quietly. I never liked visiting the dentist.* b) 'Tá dea-scéala agam duit,' arsa an duine ar an bhfón, 'tá áit agat ar an bhfoireann.' Léim mo chroí le háthas … *'I've good news for you,' said the person on the phone, 'you have a place on the team.' My heart jumped with joy …*
2007:	a) Nuair a shroich mé an teach, bhí an doras lánoscailte. Baineadh geit asam … *When I reached the house the door was wide open. I got a fright …* b) Is cuimhin liom go maith an lá iontach sin. Bhuaigh Daid duais mhór airgid sa Chrannchur Náisiúnta … *I remember that wonderful day really well. My Dad won a big cash prize in the Lotto …*

2006:	a)	Bhuaigh mé an comórtas don duais-aiste sa scoil. Dhá thicéad eitleáin a bhí sa duais. Chuaigh mé féin agus mo chara ar thuras trí lá go … *I won the competition for the essay at school. Two plane tickets were the prize. My friend and I went on a three-day trip to …*
	b)	Tá mé cinnte den phost ba mhaith liom anois. Bhí an taithí oibre san idirbhliain go hiontach. Thaitin an dá sheachtain sin go mór liom … *I'm sure of the job I would like now. The work experience in transition year was great. I really enjoyed those two weeks …*
2005:	a)	Bhí na tuismitheoirí imithe don oíche. Bhí orm aire a thabhairt do bheirt pháistí agus an peata madra a bhí acu. Thuig mé láithreach go mbeadh trioblóid (fadhb) agam leo agus bhí … *The parents were out for the night. I had to look after the two children and the pet dog. I knew immediately there would be trouble (a problem) with them and there was …*
	b)	Chuaigh mé go dtí an chóisir an oíche sin. Ní raibh cead agam ó mo thuismitheoirí dul ann. Tar éis uair an chloig bhí brón orm. *I went to the party that night. I didn't have permission from my parents to go to it. After an hour I was sorry …*

Past tense verbs

Below are some examples of **past tense verbs**.

D'fhan mé/d'fhanamar: *I/we stayed*

D'fhág mé/d'fhágamar: *I/we left*

Chuir mé/chuireamar: *I/we put*

Chuaigh mé/chuamar: *I/we went*

D'fhill mé/d'fhilleamar: *I/we returned*

D'ith mé/d'itheamar: *I/we ate*

Chonaic mé/chonaiceamar: *I/we saw*

D'fhéach mé/d'fhéachamar: *I/we watched*

B'aoibhinn liom/linn: *I/we loved*

Dhúisigh mé/dhúisíomar: *I/we awoke*

Chaith mé/chaitheamar: *I/we spent*

Shroich mé/shroicheamar: *I/we reached*

Cheannaigh mé/cheannaíomar: *I/we spent*

Rinne mé/rinneamar: *I/we made/did*

Shnámh mé/shnámhamar: *I/we swam*

D'fhreastail mé/d'fhreastalaíomar: *I/we attended*

D'imir mé/D'imríomar: *I/we played*

Rothaigh mé/rothaíomar: *I/we cycled*

When approaching the Scéal answer, you must remember one vital thing: write your Scéal in the **past tense**. Revise oral chapter to see the rules of the past tense!

Léim mé/léimeamar: *I/we jumped*

Thosaigh mé/thosaíomar: *I/we started*

Bhailigh mé/bhailíomar: *I/we collected*

Rith mé/ritheamar: *I/we ran*

Mhothaigh mé/mhothaíomar: *I/we felt*

Decide whether you want to write a scéal with a happy or sad ending. After looking at the examples below you will see which scéal suits you better!

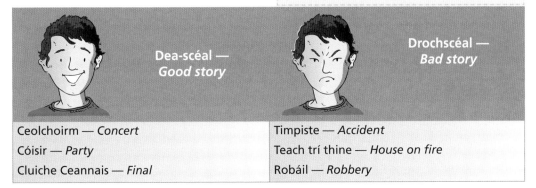

Dea-scéal — *Good story*

Drochscéal — *Bad story*

Ceolchoirm — *Concert*

Cóisir — *Party*

Cluiche Ceannais — *Final*

Timpiste — *Accident*

Teach trí thine — *House on fire*

Robáil — *Robbery*

Refer back to vocabulary previously given in the Oral and *Giota Leanúnach* sections (see pages 32–62 and pages 85–90).

Leagan amach/*Layout*: Dea-scéal

1) **Tús**: *Start*

When starting a good/happy story, the best advice is to set the scene for what is about to happen and end on a happy note.

Is cuimhin liom go maith é, lár an tsamhraidh a bhí ann. Lá breá brothallach a bhí ann. Bhí an ghrian ag scoilteadh na gcloch. Bhí mé cúig bliana déag d'aois ag an am agus ní raibh cíos, cás ná cathú orm.

I remember it well, it was the middle of summer. A fine, warm day it was. The sun was splitting the stones. I was fifteen at the time and I hadn't a care in the world.

2) **Corp**: *Body of Scéal*

- In this, you should have approx ten lines describing a happy event.
- Use past tense.
- Look at the vocabulary box on the next page to help put this section together.
- You can use some of the phrases given in *Giota Leanúnach* section (see page 84).

> buíochas le Dia: *thank God*
>
> go tobann: *suddenly*
>
> i bpreabadh na súl: *in the blink of an eye*
>
> ar nós na gaoithe: *as fast as the wind*
>
> ina dhiadh sin: *afterwards*
>
> faoi dheireadh: *finally*
>
> teach mo charad: *my friend's house*
>
> ar aghaidh linn: *off with us*
>
> an gcreidfeá é?: *would you believe it?*
>
> ar ámharaí an tsaoil: *luckily*
>
> áthas an domhain orm: *on cloud nine with happiness*

3) Críoch: *Finish*

Finish the story with a suitable ending.

Fanfaidh an lá sin i mo chuimhne go deo na ndeor. An gcreidfeá é dá ndéarfainn leat gur chodail mé go sámh an oíche sin!	*That day shall stay in my memory forever and ever. Would you believe it if I told you that I slept soundly that night!*

key point

The art of writing a 'standard' answer is about attention to accuracy as well as your ability to twist a scéal around to suit the vocabulary you have learnt.

Samplacha

Dea-scéal Sampla a haon: **An cheolchoirm**/*The concert*

Gluais

ag tús na ceolchoirme: *at the start of the concert*	an t-amhránaí: *the singer*
	a n-albam: *their album*
i lár na ceolchoirme: *in the middle of the concert*	mo réaltaí raic: *my rock stars*
	le luas lasrach: *with the speed of lightning*
ag deireadh na ceolchoirme: *at the end of the concert*	dubh le daoine: *crowded*
	caite amach: *wrecked tired*
ag bualadh bos: *clapping*	atmaisféar leictreach: *electric atmosphere*
an slua: *the crowd*	ar bís: *excited*
phléasc siad amach: *they exploded out*	chan siad in ard a gcinn is a ngutha: *they sang at the top of their lungs*
ag lonrú ar an ardán: *shining on the stage*	
ag pocléim le háthas: *leaping with joy*	sheinn siad ar feadh trí huaire: *they played for 3 hours*
líonadh mo chroí le haoibhneas: *my heart was filled with delight*	

giotár leictreach: *electric guitar* dord: *bass* na ticéid: *the tickets* dlúthdhioscaí: *CDs* screadamar le gliondar: *we screamed with* *delight*	Screadamar 'Níos mó! Níos mó!': *We* *screamed 'More! More!'* Páirc an Chrócaigh/RDS: *Croke Park/RDS* ar siúl: *happening* U2 abú!: *Up U2!*

Samplaí:

2007: Is cuimhin liom go maith an lá iontach sin. Bhuaigh Daid duais mhór airgid sa Chrannchur Náisiúnta ...

2006: Bhuaigh mé an comórtas don duais-aiste sa scoil. Dhá thicéad eitleáin a bhí sa duais. Chuaigh mé féin agus mo chara ar thuras trí lá go ...

This is your starting sentence, both of these can be easily twisted to a *ceolchoirm* scenario. Follow your story on from here, refer to what the question has asked in the story to show you know what is being asked!

Sampla: Is cuimhin liom go maith an lá iontach sin. Bhuaigh Daid duais mhór airgid sa Chrannchur Náisiúnta ...

Tús:

Ceolchoirm

Is cuimhin liom go maith é, lár an tsamhraidh a bhí ann. Lá breá brothallach a bhí ann. Bhí an ghrian ag scoilteadh na gcloch, bhí gaoth bhog ag séideadh. Bhí mé cúig bliana déag d'aois ag an am agus ní raibh cíos, cás ná cathú orm.

I remember it well, it was the middle of the summer. A fine, warm day it was. The sun was splitting the stones, there was a soft wind blowing. I was 15 at the time and I hadn't a care in the world.

Corp:

All words in bold below are already in the Gluais above and on page 98. Find them!

Rith Daid isteach sa chistin agus é **ag pocléim le háthas!** Tríocha míle euro! An **gcreidfeá é?** Bhíomar go léir ag screadáil le gliondar, agus an chéad rud eile, thug sé céad euro dom! Bhí an t-ádh orm!

Dad ran into the kitchen and he was jumping with joy! Three thousand euro! Would you believe it? We were all screaming with delight and the next thing, he gave me a hundred euro! I was lucky!

Ar aghaidh liom go dtí **teach mo charad** agus chuireamar ticéid do U2 san RDS in áirithe don oíche sin! **Ina dhiaidh sin,** chuireamar ár gcuid éadaigh is fearr orainn agus fuaireamar síob ó mo mháthair ar a seacht a chlog. Bhí an áit **dubh le daoine**. Bhuail mé le mo chara eile Liam ann. Bhíomar **ar bís!**

Off I went to my friend's house and we booked tickets for U2 that night. After that, we put on our best clothes and we got a lift from my Mam at seven o' clock. The place was packed. I met another friend there, Liam. We were excited!

Faoi dheireadh, thosaigh an grúpa tacaíochta ag seinm. Bhí siad ceart go leor ach bhí mé ag tnúth le **mo réaltaí ceoil!** **Go tobann, i bpreabadh na súl, phléasc** Bono amach ar **an ardán**. Bhí soilse ildaite ag lonrú orthu! Sheinn siad a **gcuid albam** go léir, **chan siad in ard a gcinn is a ngutha! Bhí mé ar scamall a naoi le háthas!** Thugamar **bualadh bos** mór dóibh. Ba bheag nár thit mé i laige nuair a chonaic mé an Edge ag seinm!

Finally, the support act started playing. They were OK but I was looking forward to my music stars! Suddenly, in the blink of an eye, Bono exploded out onto stage. There were multicoloured lights on them! They played all their albums, they sang at the top of their lungs! I was on cloud nine with happiness. We gave them huge applause. I almost fainted when I saw the Edge playing!

Chan siad ar feadh trí huaire. Bhí mé caite amach ag an deireadh. Chríochnaigh siad le 'One' agus bhí mé féin agus Sorcha lánsásta! **Ina dhiaidh sin,** chuamar abhaile ar an Luas, chuireamar an dlúthdhiosca ar siúl agus d'itheamar ár sceallóga!

They sang for three hours. I was wrecked tired at the end. They finished with 'One' and Sorcha and I were very happy! Afterwards, we went home on the Luas, we put the CD on and ate our chips!

Críoch:

Fanfaidh an lá sin i mo chuimhne go deo na ndeor. An gcreidfeá é nuair a deirim leat gur chodail mé go sámh an oíche sin? U2 Abú!

That day will stay in my memory forever and ever. Would you believe it if I said that I slept soundly that night? Up U2!

Bain triail as! *Your turn!*

Anois, Now, try one yourself: D'oscail mé an ríomhphost agus ní raibh mé ábalta mo shúile a chreidiúnt …! (*I opened the email and couldn't believe my eyes …!*)

Dea-scéal Sampla a dó: **An chóisir**/*The party*

Gluais

ag tús na cóisire: *at the start of the party*	maisiúcháin: *decorations*
i lár na cóisire: *in the middle of the party*	coinnle: *candles*
ag deireadh na cóisire: *at the end of the party*	mhúch mé iad amach: *I blew them out*
mo bhreithlá a bhí ann: *it was my birthday*	ag damhsa: *dancing*
deochanna agus bia: *food and drink*	dlúthcheirníní: *CDs*
craic agus ceol: *fun and music*	banna ceoil: *band*
clampar timpeall an tí: *chaos around the house*	bronntanais: *presents*
	cáca ollmhór: *huge cake*
féasta: *feast*	slua mór: *big crowd*
	chan siad le chéile: *they sang together*

The art of writing a 'standard' answer is about attention to accuracy as well as your ability to twist a scéal around to suit the vocabulary you have learnt.

Samplaí:

2007:

a) Nuair a shroich mé mo theach bhí doras an tí lánoscailte. Baineadh geit asam...
(when I reached my house the door of the house was fully open, I got a fright..)

nó

b) Is cuimhin liom go maith an lá iontach sin. Bhuaigh Daid duais mhór airgid sa Chrannchur Náisiúnta ... (I remember that wonderful day really well. My Dad won a big cash prize in the Lotto ...)

2007 a) Cóisir

Tús:

Is cuimhin liom go maith é, lár an tsamhraidh a bhí ann. Lá breá brothallach a bhí ann. Bhí an ghrian ag scoilteadh na gcloch, bhí gaoth bhog ag séideadh. Bhí mé cúig bliana déag d'aois ag an am agus ní raibh cíos, cás ná cathú orm.

I remember it well, it was the middle of the summer. A fine, warm day it was. The sun was splitting the stones, there was a soft wind blowing. I was 15 at the time and I hadn't a care in the world.

Corp:

Chuaigh mé isteach agus bhí mé neirbhíseach mar bhí an doras ag luascadh. Bhí an teach dorcha agus ní raibh duine ná deoraí le feiceáil. Ghlaoigh mé amach os ard ach chloisfeá biorán ag titim.

I went in and I was nervous as the door was swinging. The house was dark and there wasn't a sinner to be seen. I called out aloud but you could hear a pin drop.

Bhí mé ag dul isteach sa chistin go mall nuair a léim mo theaghlach, mo chairde agus mo ghaolta go léir amach le luas lasrach! Mo lá breithe a bhí ann! Cúig bliana déag d'aois ar an lá sin. Chuir siad an croí trasna orm! Ba bheag nár thit mé i laige nuair a chonaic mé an slua.

I was going in to the kitchen slowly when my family, friends and relatives all jumped out with great speed! It was my birthday! 15 years old that day. They put the heart across me! I almost fainted when I saw the crowd.

Thosaigh an ceol agus craic agus tháinig mo Dhaid amach le cáca ollmhór. Bhí m'ainm air agus bhí dath gorm air. Cáca blasta a bhí ann. Ina dhiaidh sin, tháinig na bronntanais amach! Fuair mé dlúthdhioscaí, uaireadóir, t-léine, ticéid, agus ar ndóigh — airgead! Bhí áthas an domhain orm. Ar deireadh, tháinig mo dheirfúir is óige Ava amach le bosca beag — iPod a bhí ann! An gcreidfeá é? D'oscail mé an bronntanas is fearr agus thosaigh mé ag pocléim le háthas!

The music and fun began and my Dad came in with a huge cake. My name was on it and it was blue. It was a tasty cake. Afterwards, the presents came out! I got CDs, a watch, t-shirt, tickets and of course — money! I was on cloud nine with happiness! At the end, my youngest sister Ava came out with a little box — it was an iPod! Would you believe it? I opened the best present and began jumping with joy!

Críoch:

Fanfaidh an lá sin i mo chuimhne go deo na ndeor. An gcreidfeá é nuair a deirim leat gur chodail mé go sámh an oíche sin?

That day will stay in my memory forever and ever. Would you believe it when I say that I slept soundly that night?

Bain triail as! *Your turn!*

Dhúisigh mé go tobann, bhí mé ar an tolg sa seomra suí ag féachaint ar Oprah i lár an lae. Baineadh geit asam! …

(I awoke suddenly, on the couch looking at Oprah in the middle of the day. I got a fright …)

Leagan Amach/*Layout:* Drochscéal

Tús:

When starting a bad/scary story, the best advice is to set the scene for what is about to happen; also, finish up the story on a dark note.

Below are **two examples** of horror stories:

- An Timpiste
- Teach trí thine

Tús

Is cuimhin liom go maith é. Dé Luain a bhí ann. Oíche dhubh dhorcha a bhí ann. Lár an gheimhridh a bhí ann. Bhí gaoth láidir ag réabadh na spéire agus an oíche chomh dubh le pic. Bhí mé cúig bliana déag d'aois ag an am.

I remember it well. It was a Monday. A dark, black night it was. It was the middle of the winter. There was a strong wind ripping through the sky, and the night was pitch dark. I was fifteen years old at the time.

Drochscéal Sampla a haon:

Timpiste/*Accident*

Gluais

scread sí os ard: *she screamed aloud*
gafa: *caught*
gunna: *gun*
Gardaí: *Guards*
ar crith le heagla: *shaking with fear*
ag cur allais: *sweating*
ag gol gan stad: *crying non-stop*
ag béicíl: *shouting*
tiománaí: *driver*
ag screadaíl in ard mo chinn is mo ghutha:
  screaming at top of my lungs
ag teacht i mo threo: *coming towards me*
soilse tráchta: *traffic lights*
bhuail an carr mé: *the car hit me*
tugadh x-gha dom: *I was x-rayed*
cuireadh ar shínteán mé: *I was placed on a stretcher*
an t-ospidéal: *the hospital*
an t-otharcharr: *the ambulance*
bonnán: *siren*
an dochtúir: *the doctor*
seirbhísí éigeandála: *emergency services*
ag cur amach: *vomiting*
bindealán: *bandage*

maidí croise: *crutches*
ag cur fola:
  bleeding
thit mé ar an
  talamh: *I fell on
  the ground*
gan aithne:
  unconscious
bhuail sé mé: *he hit
  me*
tinneas: *sickness*
pianmhar: *painful*
pian i mo chos: *pain
  in my foot*
plástar Pháras:
  plaster of Paris
fuair sé bás: *he died*
ghlaoigh mé ar 999: *I called 999*

2005 a) Bhí na tuismitheoirí imithe don oíche. Bhí orm aire a thabhairt do bheirt pháistí agus an peata madra a bhí acu. Thuig mé láithreach go mbeadh trioblóid (fadhb) agam leo agus bhí ...

(The parents were out for the night. I had to look after the two children and the pet dog. I knew immediately there would be trouble with them and there was ...)

The same tús and críoch are being used in all.

The art of writing a 'standard' answer is about attention to accuracy as well as your ability to twist a scéal around to suit the vocabulary you have learnt.

Timpiste

Tús:

Is cuimhin liom go maith é. Dé Luain a bhí ann. Oíche dhubh dhorcha a bhí ann. Lár an gheimhridh a bhí ann. Bhí gaoth láidir ag réabadh na spéire agus an oíche chomh dubh le pic. Bhí mé cúig bliana déag d'aois ag an am.

I remember it well. It was a Monday. A dark, black night it was. It was the middle of the winter. There was a strong wind ripping through the sky, and the night was pitch dark. I was fifteen years old at the time.

Corp:

Bhuel, bhí mé i m'aonar sa teach. Bhí na tuistí imithe go dtí an bhialann áitiúil. Bhí na leanaí sa leaba agus bhí mé sínte amach os comhair na teilifíse. Go tobann chuala mé adharc ard. Rith mé go dtí an fhuinneog. Timpiste ar an mbóthar a bhí ann. Rith mé amach agus chonaic mé é. Bhuail carr duine éigin a bhí ag trasnú an bhóthair mar bhí an solas glas do choisithe ag na soilse tráchta. Bhí an duine ina chnap ar an talamh. Bhí sé ag cur fola go tiubh agus bhí an tiománaí ag gol in aice leis. Bhí gloine i ngach áit agus rith mé trasna chucu.

Well, I was alone in the house. The parents were gone to the local restaurant, the babies were in bed and I was stretched out in front of the TV. Suddenly I heard a loud horn. I ran to the window. It was an accident on the road. I ran out and saw it. A car had hit some person who was crossing the road because the light was green for pedestrians at the traffic lights. The person was in a heap on ground. He was bleeding non-stop and the driver was crying beside him. There was glass everywhere and I ran across to them.

Ghlaoigh mé ar na Gardaí agus ar na seirbhísí éigeandála. Chualamar an bonnán ag teacht agus, gan mhoill, tháinig siad. Cuireadh ar shínteán é agus tógadh go dtí an t-ospidéal é. Bhí an tiománaí fós ar crith le heagla agus chuir na Gardaí ceisteanna air. Dúirt siad liom go raibh sé ar meisce.

I called the Guards and the emergency services. We heard the siren coming and, before long, they came. He was put on a stretcher and taken to the hospital. The driver was still shaking with fear and the Guards questioned him. They told me that he was drunk.

Ina dhiaidh sin, rith mé ar ais go dtí an teach agus, ar ámharaí an tsaoil, bhí na leanaí fós ina gcodladh. Chuala mé ó na tuismitheoirí go bhfuair an duine bocht bás an oíche sin.

Afterwards, I ran back to the house and, luckily, the babies were still asleep. I heard from the parents that the poor person died that night.

Críoch:

Bhuel, fanfaidh an oíche sin i mo chuimhne go deo. An gcreidfeá é nuair a deirim leat nach bhfaca mé timpiste riamh roimhe sin?

Well, that night will stay in my memory forever. Would you believe it when I say that I had never seen an accident before?

Bain triail as! *Your turn*!

Bhí mo chara Máire, léi féin sa teach an oíche sin. Dhúisigh sí go tobann. Bhí rud éigin ar siúl lasmuigh den teach …

(*My friend Mary was alone in the house that night. She awoke suddenly. Something was going on outside the house …*)

Drochscéal Sampla a dó:

Teach trí thine/*A house on fire*

Gluais

boladh ait: *strange smell*
píobán: *hose*
an bhriogáid dóiteáin: *the fire brigade*
tine gháis: *gas fire*
dréimire: *ladder*
tua: *axe*
dóite: *burned*
lasracha timpeall orm: *flames around me*
theitheamar ón teach: *we fled from the house*
scriosta: *destroyed*
gléas anála: *breathing apparatus*

ag análú deataigh: *inhaling smoke*
toitíní: *cigarettes*
boladh deataigh: *smell of smoke*
plúchadh: *asthma*
i mbaol a bháis: *in danger of dying*
bhí an t-ádh liom: *I was lucky*
bhí líonrith air: *he panicked*

2005 b) Chuaigh mé go dtí an chóisir an oíche sin. Ní raibh cead agam ó mo thuismitheoirí dul ann. Tar éis uair a chloig bhí brón orm …

(*I went to the party that night. I had no permission from my parents. After an hour I was sorry …*)

Teach trí Thine

Tús:

Is cuimhin liom go maith é. Dé Luain a bhí ann. Oíche dhubh dhorcha a bhí ann. Lár an gheimhridh a bhí ann. Bhí gaoth láidir ag réabadh na spéire agus an oíche chomh dubh le pic. Bhí mé cúig bliana déag d'aois ag an am.

I remember it well. It was a Monday. A dark, black night it was. It was the middle of the winter. There was a strong wind ripping through the sky, and the night was pitch dark. I was fifteen years old at the time.

Corp:

Bhíomar go léir i dteach Áine — mo chara ón scoil. Bhí mo thuistí imithe go dti an bhialann áitiúil agus shiúil mé chuig an teach. Ní raibh cead agam. Bhí áthas an domhain orainn go léir ag éisteacht lenár réaltaí ceoil U2 agus ag damhsa go craiceáilte ar fud na háite nuair a fuair mé boladh deataigh go tobann. An chéad rud eile chuala mé scread ollmhór ón seomra leapa. Rith mé féin agus Seán isteach. Bhí an seomra dubh le daoine ach rith gach duine síos an staighre mar bhí an seomra trí thine.

We were all in Áine's house — my friend from school. My parents were gone to the local restaurant and I walked to the house. I had no permission. We were all on cloud nine listening to our music heroes U2 and dancing crazily around the place when, suddenly, I got a smell of smoke. The next thing, I heard a huge scream from the bedroom. I ran in with Seán. The place was packed but everyone ran down the stairs because the room was on fire.

Bhí duine éigin ag caitheamh toitíní agus thit an toitín ar an urlár. Rith mé amach agus ghlaoigh mé ar an mbriogáid dóiteáin. Gan mhoill, tháinig siad, ach ar an drochuair bhí cúpla duine dóite go dona. Fuair siad dréimire agus dhreap siad suas agus shábháil siad na daoine eile. Tógadh go dtí an t-ospidéal iad agus chuir na Gardaí ceisteanna orm. Bhí an t-ádh liom. Tháinig mo thuistí agus bhí siad ar buile liom.

Someone had been smoking a cigarette and the cigarette had fallen on the floor. I ran outside and I called the Fire Brigade. Without delay, they came but unfortunately some people were burned badly. They got a ladder and climbed up and they saved the others. They were taken to the hospital and the Guards asked me questions. I was lucky. My parents came and were mad with me.

Críoch:

Bhuel, fanfaidh an oíche sin i mo chuimhne go deo. An gcreidfeá é nuair a deirim leat nach bhfaca mé dóiteán (nó teach trí thine) riamh roimhe sin?

Well, that night will stay in my memory forever. Would you believe it when I say that I had never seen a fire (or house on fire) before?

Bain triail as! *Your turn!*

Bhí sé déanach san oíche. Bhíomar faoin tuath. Stop an carr. Theip ar an inneall. Bhíomar i dtrioblóid …

(*It was late at night. The car stopped. The engine failed. We were in trouble …*)

Option C: Ríomhphost/*Email* (50 marc)

There is a choice within this option.

The email is a new addition to the course instead of the *litir*. It is the most common and modern mode of contact.

Within the Ceapadóireacht exam, this is one of four options; you have to answer only two options from the four and may find certain styles suit you better than others.

```
Chuig:  To
Ó:      From
Ábhar:  Subject


Chuig:  síleo@hotmail.com
Ó:      gerom@hotmail.com
Ábhar:  mo scoil nua


A Liam, a chara,
Conas atá cúrsaí?  Tá súil agam
go bhfuil …
```

What you need to know

- Familiarise yourself with the layout above.
- Always include who **to**, **from** and **subject**.
- The length should be **150 words** (**15–20 lines**).
- Make sure you understand the **Ceist** and make sure you have the vocabulary to write the required amount.
- *Déan plean*: make a **plan**, jot down your ideas and the phrases that you can put in.
- Organise your ideas in logical order.
- Use an **introduction**, three to four **solid points** and a **conclusion**.
- Most marks are for an *Ghaeilge* here, your accuracy is vital.
- Be careful with **tenses**!
- Use **short**, **simple** sentences.
- Reread!

Because this is a new course, there are not many examples to be found in the papers. What we can assume though is that the questions should be of similar content to the Litir that was previously asked.

These are Litir examples that came up (only one of the two choices from each year is shown); this is the first year of emails on the course.

Sample questions:

2006:	Cheannaigh do theaghlach siopa nua mí ó shin. Scríobh an litir a chuirfeá chuig cara leat ag cur síos ar an siopa agus ar an obair a dhéanann tú ann.
	Your family bought a new shop a month ago. Write a letter to your friend describing the shop and the work you do in it.
2005:	D'fhág an cara is fearr a bhí agat an scoil nó an tír an bhliain seo caite agus tá sé agus a chlann ina gcónaí sa Fhrainc anois. Scríobh an litir a cuirfeá chuig an gcara sin tar éis na hArdteiste.
	Your best friend left the school or the country last year and he and his family now live in France. Write the letter you would send that friend after the Leaving Certificate.

Like the *Scéal*, you need to **revise the vocabulary supplied in the Oral and *Giota Leanúnach* sections.**

If you are asked to write an email about an accident, refer back to the sample *Scéal* about a *timpiste* in the previous chapter.

In the examples above, note the minute detail; mar shampla 2005: 'Write ... after the L.Cert.' Here, the examiner is looking for you to mention this point in the course of your letter and you will lose marks if you fail to mention this detail.

Leagan amach/*Layout*

With the email, the normal structure of an email is required. Follow the steps below:

Step 1:

> **Chuig:** *To:* maireo@hotmail.com

Step 2:

> **Ó:** *From:* Daithiod@hotmail.com

Step 3:

> **Ábhar:** *Subject:* (*an cheist anseo*) An turas chun na Gaeltachta

Step 4:

> **Áit agus dáta:** *place and date (on right hand side):* Corcaigh, 3ú Lúnasa

Step 5: Beannú/*Greeting*

> A Liam, a chara/A Louise, a chara
> A mham dhil/ A dhaid dil
> A Shíle, a stór

Step 6: Tús:(2 options)

Start 1:

Bhuel, conas atá cúrsaí leat? Tá súil agam go bhfuil tú i mbarr na sláinte. Tá áthas an domhain orm anseo agus tá gach duine ar mhuin na muice. Aon nuacht dom? Conas atá an aimsir?	*Well, how are things with you? I hope you're in top form. I'm on cloud nine here and everyone's in great form. Any news for me? How's the weather?*

Start 2:

Beir Bua agus Beannacht! Conas atá tú? Táim ar mhuin na muice, buíochas le Dia! Tá an ghrian ag scoilteadh na gcloch anseo!	*Greetings to you! How are you? I'm in great form, thank God! The sun is splitting the stones here!*

Step 7: Corp

Braitheann sé ar ábhar an ríomhphoist/*Depends on the subject of the email*

Úsáid na nathanna cainte (*phrases*) thíos:

Gluais

le déanaí: *recently*	is iomaí: *it's many*
go mall: *slowly*	is cosúil/is amhlaidh: *it seems*
fadó: *long ago*	ní foláir dom: *I must*
le tamall beag anuas: *for the past while*	cuireann sé déistin orm: *it disgusts me*
blianta ó shin: *years ago*	is ionadh liom: *it's a wonder to me*
tamall ó shin: *a while ago*	is mithid dom: *it's time for me*
ina dhiaidh sin: *afterwards*	pé scéal é: *anyway*
sin scéal eile: *that's another story*	ar éigean: *barely*
ar thaobh amháin: *on one side*	tá a fhios ag an saol: *everyone knows*
ar an taobh eile: *on the other side*	is cuma liom: *I don't care*
thairis sin: *besides that*	luath nó mall: *sooner or later*
ní bhaineann sin leis an scéal: *that doesn't matter*	faoi lánseol: *in full swing*

Step 8: Críoch/*Finish*

Bhuel, a chara, caithfidh mé imeacht anois mar tá a lán le déanamh agam. Abair le Lorcán go raibh mé ag cur a thuairisce. Scríobh chugam go luath, Slán go fóill, Do chara buan, [Do mhac dil, D' iníon dhil] (Ainm)_____	*Well, my friend, I have to go now because I've a lot to do. Tell Lorcán I was asking for him. Write to me soon,* *Bye for now* *Your forever friend,* *[Your loyal son,* *Your loyal daughter,]* *(Name)* _____

Samplaí: Scríobh ríomhphost chuig do thuistí faoi do chúrsa sa Ghaeltacht.

Obair gharbh

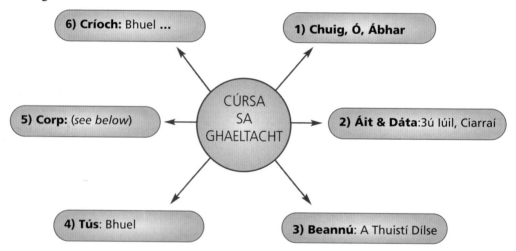

5) Corp: (*Below are some helpful points to include*)

- Na daoine cairdiúla cainteacha; bean an tí.
  The friendly, talkative, people; the housewife.
- An bia: blasta/uafásach
  The food: nice/horrible
- Saol sóisialta: istoíche ... téim ... bím ...
  Social life: at night ... I go ... I am ...
- Turas/radhairc a chonaic tú: Inné, chuamar...
  A trip/sights you saw: Yesterday, we went ...
- Gach lá: téim, imrím, faighim
- *Each day: I go, I play, I get*

- Cairdeas nua atá agat ...
  New friendship you made ...
- Rud suimiúil/spéisiúil a tharla duit.
  Something interesting that happened to you.
- Cathain a fhillfidh tú.
  When you will be returning.

Sampla a haon: An Ghaeltacht:

Note: *Look back over the notes on page 54 — Oral section on* An Ghaeltacht!

Ceist: Tá tú sa Ghaeltacht ar feadh tamaill le do chara. Scríobh ríomhphost chuig do thuistí faoin áit, faoi na daoine agus faoi cad a dhéanann tú gach lá.

(You are in the Gaeltacht for a while with your friend. Write an email to your parents about the place, the people and what you do each day.)

Chuig: (Robuineill@yahoo.com)

Ó: (caitníriain@yahoo.com)

Ábhar: (Turas Gaeltachta)

Áit agus Dáta: (3ú Iúil, An Daingean, Co. Chiarraí)

Beannú: *Greeting*

A thuistí dílse! (*Dear Parents!*)

Tús: *Start*

Bhuel, conas atá cúrsaí libh? Tá súil agam go bhfuil sibh i mbarr na sláinte. Tá áthas an domhain orm anseo agus tá gach duine ar mhuin na muice. Aon nuacht dom? Conas atá an aimsir?	Well, how are things with you? I hope you're in top form. I'm on cloud 9 here and everyone's in great form. Any news for me? How's the weather?

Corp: *Body*

Mar is eol daoibh, táim anseo i gCiarraí le dhá sheachtain anois agus tá an ghrian ag scoilteadh na gcloch! Tá mé ag fanacht i dteach Mháire — bean an tí. Tá sí an-chairdiúil agus cineálta. Ar an drochuair, tá an bia anseo uafásach, bíonn pian i mo bholg gach oíche. Ithim prátaí le feoil gach oíche agus ba mhaith liom sceallóga!

Bím an-ghnóthach gach lá anseo. Bíonn ranganna ann gach lá óna naoi go dtí a haon agus téimid go dtí an céilí gach oíche. Imrím peil ar an trá gach lá freisin. Bhí dioscó ar siúl aréir agus rinne mé cairdeas le cúpla duine nua!

Bíonn turas spéisiúil againn gach Aoine. Chuamar go dtí an seanchaisleán in aice láimhe an tseachtain seo caite. Tá na radhairc áille i ngach áit anseo! Le cúnamh Dé, beidh mé ar ais Dé Luain!

As you know, I have been here in Kerry for two weeks now and the sun is splitting the stones! I'm staying in Mary's house — the woman of the house. She's very friendly and kind. Unfortunately, the food is terrible here, I have a pain in my stomach every night, I eat potatoes and meat every night and I would love chips!

I'm very busy everyday here. There are classes daily from nine till one and we go to the céilí each night. I play football on the beach every day also. There was a disco last night and I made a couple of new friends!

We have an interesting trip every Friday. We went to the old castle nearby last week. There are lovely views everywhere here! With the help of God, I'll be back on Monday!

Críoch: *Finish*

Bhuel, caithfidh mé imeacht anois mar tá a lán le déanamh agam. Abair le Lorcán go raibh mé ag cur a thuairisce. Scríobh chugam go luath,

Slán go fóill,

Do mhac dil,

Louis.

Well, I have to go now because I've a lot to do. Tell Lorcán I was asking for him. Write to me soon,

Cheerio for now,

Your loyal son,

Louis

Bain triail as! *Your turn*!

Scríobh ríomhphost chuig do thuistí faoi do shaoire sa Fhrainc/
Write an email to your parents about your holiday in France.

Cabhróidh mé leat! *I'll help!*

Obair Gharbh:

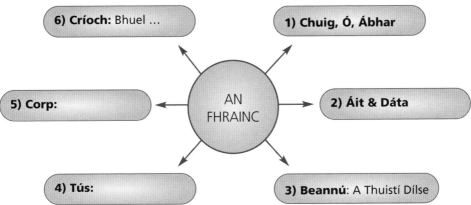

6) Críoch: Bhuel …

1) Chuig, Ó, Ábhar

5) Corp:

AN FHRAINC

2) Áit & Dáta

4) Tús:

3) Beannú: A Thuistí Dílse

Corp:

- Na daoine: muintir na Fraince: *French people*
- Cultúr na Fraince: *the French culture*
- Cad a dhéanann tú gach lá: déanaim, imrím …
- Radhairc áille le feiceáil: *lovely sights to be seen*
- Rud spéisiúil a tharla duit: *interesting thing that happened*
- Cathain a bheidh tú ar ais?: *when you'll be home?*

Always try and pull as much out of the question as you can – rough work above on Corp shows this clearly!

Sampla a dó: Scoil nua

Note: *Look back over Oral section on* An Scoil *(page 36)!*

Ceist: Bhog tú go dtí áit nua le déanaí. D'aistrigh tú scoil agus rinne tú cairde nua. Scríobh ríomhphost chuig do sheanchara Liam i gCorcaigh.
(*You moved to a new place recently. You changed school and you made new friends. Write an email to your old friend Liam in Cork.*)

(1) *To/From/Subject:*

> **Chuig:** (Liamoflaith@hotmail.com)

> **Ó:** (Bridnímhurchu@yahoo.com)

> **Ábhar:** (Beannachtaí ón gcathair mhór!: *Greetings from the big city!*)

(2) *Date & Place:*

> 9ú Meitheamh, Fionnradharc, Baile Átha Cliath.

(3) *Greeting:*

> A Liam, a chara!

(4) *Start:*

Beir Bua agus Beannacht! Conas atá tú?	*More power to you! How are you?*
Táim ar mhuin na muice, buíochas le Dia! Tá an ghrian ag scoilteadh na gcloch anseo!	*I'm in great form, thank God! The sun is splitting the stones here!*

(5) *Body:*

Mar is eol duit, bhog mé go Baile Átha Cliath an mhí seo caite. Táim ag freastal ar Chnoc an Teampaill anois ar bóthar Mhullach Íde. Is breá liom í. Is scoil chuimsitheach, mheasctha agus mhór í. Tá tuairim is seasca múinteoir agus naoi gcéad dalta anseo. Táim sa séú bliain anois agus rinne mé cúpla cara nua!	*As you know, I moved to Dublin last month. I'm attending Mount Temple now on the Malahide Road. I love it. It's a comprehensive, mixed and big school. There's about 60 teachers and 900 students here. I'm in sixth year now and I have made a few new friends!*

Chomh maith leis sin, bhog mé go Fionnradharc, áit ghnóthach agus cónaím i dteach sraithe anois. Tá gairdín ar chúl an tí agus bláthanna agus plandaí os comhair an tí. Tá mo sheomra féin agam.	*As well as that, I moved to Fairview, a busy place and I live in a terraced house now. I've a back garden and flowers and plants in front of house. I have my own room.*
Táimid go léir sásta anseo agus tá Mam sásta lena post nua. Tá Baile Átha Cliath an-difriúil. Tá saol na cathrach craiceáilte! Is breá liom é ach bíonn a lán tráchta ar na bóithre gach lá! An dtabharfaidh tú cuairt dom?	*We are all happy here and Mam is happy with her new job. Dublin is very different. City life is crazy! I love it but there's a lot of traffic on the roads daily! Will you visit me?*
Inné bhí mé sa lár agus bhuail mé le Ronan Keating ó Boyzone! An gcreidfeá é? Braithim an saol i gCorcaigh uaim!	*Yesterday, I was in the city centre and I met Ronan Keating from Boyzone! Would you believe it? I miss Cork life!*

(6) *Finish:*

Bhuel, caithfidh mé imeacht anois mar tá a lán le déanamh agam. Abair le Lorcan go raibh mé ag cur a thuairisce. Scríobh chugam go luath, Slán go fóill, Do chara buan,	*Well, I have to go now because I have a lot to do. Tell Lorcan I was asking for him. Write to me soon, Cheerio for now, Your forever friend,*

(7) *Name:*

Cáit

Option D: Comhrá/*Conversation* (50 marc)

This Conversation is based on an everyday topic of conversation.

Within the Ceapadóireacht exam, this is one of four options; you have to answer only two options from the four and may find certain styles suit you better than others.

What you need to know

- Read both options always!
- The length should be **150 words** (**15–20 lines**).
- Make sure you understand the **Ceist** and make sure you have the vocabulary to write the required amount.

Go back over your *Nathanna Cainte* (handy phrases) and common topics throughout the book to help you in the writing of the Comhrá.

- *Déan plean*: make a **plan**, jot down your ideas and the phrases that you can put in.
- Organise your ideas in logical order. Most marks are for *an Ghaeilge* here; your accuracy is vital.
- Be careful with **tenses!**
- Use **short, simple** sentences!
- **Reread!**

2006:	a) Tá tú tar éis filleadh abhaile an-déanach ó chóisir. Osclaíonn do mháthair doras an tí duit mar rinne tú dearmad eochair a thógáil leat. Níl sí ró-shásta leat. Scríobh an comhrá idir an bheirt agaibh. *You are after returning home late from a party. Your Mam opens the door of the house to you because you forgot the key. She's not happy. Write the conversation between the two of you.* b) Ba mhaith leat madra a fháil mar pheata ach níl do mháthair (nó athair) sásta. Scríobh an comhrá a bheadh eadraibh. *You would like to get a dog as a pet but your mother (or father) is not happy. Write the conversation between you.*
2005:	a) Tá tú ag caint le d'athair nó do mháthair faoin bpost ba mhaith leat a bheith agat san am atá le teacht, nuair a bheidh tú críochnaithe ar scoil. Scríobh an comhrá a bheadh idir an bheirt agaibh. *You are talking to your Mam or your Dad about the job you would like when you finish school. Write the conversation between the two of you.* b) Tá tú an-sásta leis an dlí nua a chuireann stop (cosc) ar thoitíní a chaitheamh i dtithe tábhairne agus in áiteanna poiblí eile. Níl do chara ag aontú leat. Scríobh an comhrá idir an bheirt agaibh. *You are very happy with the new law that stops people from smoking in pubs and public places. Your friend disagrees with you. Write the conversation between the two of you.*

Leagan amach/*Layout*

Step 1:

Tús/*Start*

Open the comhrá with a greeting

Hi! {
　　Dia duit, a Lorcáin,

　　Dia is Muire dhuit, a Sheáin,

　　Haigh a Lisa,

Conas atá ag éirí leat, a Úna?: *How are you getting on, Úna?*

Cén chaoi a bhfuil tú, a Hilary?: *How are you, Hilary?*

Ní fhaca mé le fada thú, a Phádraig!: *I haven't seen you in ages, Patrick!*

Aon nuacht dom, a Thomáis?: *Any news for me, Thomas?*

Step 2:

Briathra/*Verbs*

In this chapter you will be using a lot of **orders**: Like 'Go to bed!' or 'Come here!'

To create these verbs, all you need to do is use the root form of the verb (this is the verb before it is changed into any tense).

---

tar anseo: *come here*	éist liom: *listen to me*
ná: *don't*	stop é sin: *stop that*
féach ar an ...: *look at the ...*	tabhair dom é: *give it to me*
ná labhair liom mar sin: *don't speak to me like that*	ná habair é: *don't say it*
	cuir an locht air: *put the blame on him*
bí ciúin: *be quiet*	déan anois é: *do it now*
éist do bhéal: *be quiet*	faigh é: *get it*
fan anseo: *stay here*	ná bí do mo chrá: *don't torment me*
fág mo radharc: *get out of my sight*	múch é: *turn it off*
buail liom ann: *meet me there*	laghdaigh: *reduce*
cuir glao orm: *call me*	feabhsaigh: *improve*
tabhair aire duit féin: *look after yourself*	

Step 3:

Croí/*Middle*

This depends on the subject asked in the question.

Generally you will need to be asking questions within the *comhrá*:

Ceisteanna:

ach cad faoi?: *but what about?*

cá raibh tú: *where were you?*

cén dea-scéal atá agat?: *what good news do you have?*

cén drochscéal atá agat?: *what bad news do you have?*

cén t-am é?: *what time is it?*

an ag magadh atá tú?: *are you joking me?*

cad a tharla duit?: *what happened to you?*

ar mhaith leat dul go dtí ...?: *would you like to go to ...?*

cathain a bheimid ag dul?: *when will we be going?*

cad a bheidh ar siúl?: *what will be happening?*

an as do mheabhair atá tú?: *are you out of your mind?*

conas a d'éirigh leat?: *how did you get on?*

Tuairimí/*Opinions*

chreidfinn thú: *I'd believe you*

creid é nó ná creid: *believe it or not*

tá súil agam: *I hope*

le cúnamh Dé: *with the help of God*

in ainm Dé: *in the name of God*

buíochas le Dia: *thank God*

a bhuí le: *thanks to*

brón orm: *sorry*

nach méanar duit?: *isn't it well for you?*

ar buile: *mad/angry*

caithfidh mé a rá: *I have to say*

is maith an scéalaí an aimsir: *time will tell*

i mo thuairim: *in my opinion*

mothaím go bhfuilim: *I feel I am*

gan aon dabht: *without any doubt*

a thuilleadh: *anymore*

ar ndóigh: *of course*

is léir dom: *it's clear to me*

dochreidte: *unbelievable*

cuireann sé isteach orm: *it annoys me*

thug mé faoi deara: *I noticed*

cuireann sé an croí trasna orm: *it puts my heart sideways*

cuireann sé déistin orm: *it disgusts me*

ar aon nós: *anyway*

áfach: *however*

tá sé ar intinn agam ...: *I have it in mind ...*

mar a chéile muid: *we're the same*

faraor: *unfortunately*

ar ámharaí an tsaoil: *luckily*

faoi dheireadh: *finally*

Step 4:

Críoch/*Finish*

caithfidh mé imeacht: *I have to go*

tá deifir orm: *I'm in a hurry*

beannacht Dé leat: *God bless you*

dúirt mo mháthair liom gan a bheith déanach: *Mam told me not to be late*

feicfidh mé thú anocht: *I'll see you tonight*

go n-éirí leat: *good luck!*

slán leat: *see ya!*

tóg go bog é!: *take it easy!*

oíche mhaith: *good night*

gurab amhlaidh duit!: *same to you!*

Samplacha

Sampla 1:

Ceist: Tá tú tar éis filleadh abhaile an-déanach ó chóisir. Osclaíonn do mháthair doras an tí duit mar rinne tú dearmad eochair a thógáil leat. Níl sí róshásta leat. Scríobh an comhrá idir an bheirt agaibh.

Question: You are after returning home late from a party. Your Mam opens the door of the house to you because you forgot to bring a key with you. She is not too happy with you. Write the conversation between the two of you.

Mam: Bhuel, a Liam, féach ar an gclog: a haon a chlog ar maidin! Téigh go dtí an chistin anois!

Liam: A Mham, tá brón an domhain orm, tá drochscéal agam duit. Chaill mé m'fhón agus m'eochair i dteach Úna.

Mam: Cad? An ag magadh atá tú, a Liam? Tá tú as do mheabhair, an gceapann tú gurb oinseach (*idiot*) mé?

Liam: a Mham, i ndáiríre, bhí an mí-ádh orm. Bhí buachaill ait (*weird*) ag siúl timpeall ag tógáil rudaí a bhí ar an mbord.

Mam: Creid nó ná creid, táim ar buile leat! Bhí cead (*permission*) agat fanacht ann go dtí a haon déag agus cad a tharla duit ina dhiaidh sin?

Liam: Bhuel, a Mham, nuair a chaill mé na rudaí, ní raibh an t-am agam agus bhí mé ag féachaint timpeall na háite don eochair. Bhí mé an-bhuartha (*worried*).

Mam: A Liam, téigh go dtí do leaba anois, cuireann tú déistin orm leis an bhfearg, táim tuirseach traochta. Labhróidh mé leat amárach.

Liam: Tá brón orm arís, a Mham. Oíche mhaith.

Sampla 2:

Ceist: Chuir tusa agus do chara isteach ar an bpost céanna. Bhuail sibh le chéile sa seomra feithimh ag fanacht le hagallamh. Scríobh an comhrá eadraibh.

Question: You and your friend have applied for the same job. You met each other in the waiting room waiting for the interview. Write the conversation between the two of you.

Seán: Dia duit, a Áine!

Áine: Dia is Muire duit, a Sheáin. Conas atá ag éirí leat?

Seán: Bhuel a Áine, nílim ródhona. Ní fhaca mé le fada thú.

Áine: Bhí mé ag staidéar don Ardteist an t-am ar fad. Táim tuirseach traochta!

Seán: An bhfuil tú ag déanamh an agallaimh seo inniu don bhanc?

Áine: Táim, is breá liom gnó agus airgead!

Seán: I ndáiríre, tá mo Dhaid ag obair anseo. Le cúnamh Dé, beidh an post agam!

Áine: Ná habair é, a Sheáin! Cuireann tú déistin orm!

Seán: Ná cuir an locht orm! Tá seans (*chance*) agat freisin!

Áine: An ag magadh atá tú? Níl seans agam in aon chor anois, is cur amú ama é (*It's a* *waste of time*). Táim ag dul abhaile.

Seán: Ah, a Áine, nílim ach ag magadh! Tá tú dochreidte! An bhfuil tú neirbhíseach?

Áine: Nílim neirbhíseach anois, a Sheáin. Tuigim go bhfuil amadán ag déanamh an agallaimh freisin!

Seán: Is maith an scéalaí an aimsir!

Áine: Go n-éirí leat!

Sampla 3

Ceist: Bhuail tú le cara a bhí tagtha abhaile ar saoire ó Shasana. Scríobh an comhrá a rinne sibh faoin saol atá á chaitheamh ag an duine sin thall i Sasana.

Question: You met a friend who had come home on holiday from England. Write the conversation you had about the life your friend is leading over in England.

Aisling: Bhuel, a Thomáis, cén chaoi a bhfuil tú? Ní fhaca mé le fada thú!

Tomás: A Aisling, a stór, conas atá tú?

Aisling: Nílim ródhona, i ndáiríre. Tháinig mé abhaile ó Shasana inné.

Tomás: O, chuala mé gur bhog tú ann (*I heard that you moved*). Conas atá saol na cathrach *(city life)* i Sasana?

Aisling: Is aoibhinn liom é, buíochas le Dia. Táim ag fanacht le m'aintín sa lár, agus tá post agam sa siopa nuachtán áitiúil.

Tomás: Nach méanar duit! Ag fanacht le d'aintín! Conas atá na daoine? Agus ar ndóigh do shaol sóisialta *(social life)*?

Aisling: Creid nó ná creid, níl a lán cairde agam fós. Táim cairdiúil le mo bhainisteoir ach ní bhíonn an t-am agam chun dul amach!

Tomás: Is bocht an scéal é! Cad a dhéanann tú le d'airgead?

Aisling: Cuirim sa bhanc é agus ceannaím éadaí. Cad fút, an bhfuil post agat?

Tomás: Níl, a Aisling, níl aon phost le fáil *(available)*. Táim in ísle brí!

Aisling: A Thomáis, tá m'fhón ag bualadh *(ringing)*. Cuir glao orm oíche Dé Sathairn agus rachaimid amach! *(Call me on Saturday night and we'll go out!)*

Tomás: Ceart go leor, a Aisling. Bain taitneamh as d'am ar ais!(*Enjoy your time back!*)

Aisling: Slán! Go n-éirí leat! *(Good luck!)*

Tomás: Tóg go bog é! *(take it easy)*

Bain triail as! *Your turn!*

Ceist: Ba mhaith leat a bheith i do dhochtúir ach ba mhaith le do chara a bheith ina múinteoir. Scríobh an comhrá eadraibh.

Question: You would like to be a doctor, but your friend would like to be a teacher. Write the conversation between you.

4 Páipéar a Dó: Prós agus Filíocht/ *Prose and Poetry*

(16.5% – 100 marc)

Paipéar a dó: Dhá uair an chloig/2 hours

aims
- To be able to approach this section of exam with confidence.
- To use vocabulary from this section in all parts of the exam.

Roinn I: Prós/*Prose*

key point

You must know the summary, themes, characters and whether you like or dislike the story.

exam focus

The best method of study for this is
- Learning key vocabulary that reoccurs.
- Knowing your question words.
- Underlining key words in the question.
- Reading and re-reading the piece of creative writing.

Ceist 1: Prós ainmnithe nó roghnach: 50 marc

Do the named prose OR optional prose

Prós ainmnithe/*Named prose*

Candidates must answer one question: either a question on one of the five named prose choices (page 123), or a question on one of the five optional prose choices you have studied with your teacher.

Options within named prose — new course:

1. **Oisín i dTír na nÓg**
2. **An Gnáthrud** le Deirdre Ní Ghrianna **nó Seal i Neipeal** le Cathal Ó Searcaigh
3. **Dís** le Siobhán Ní Shúilleabháin
4. **Hurlamaboc** le hÉilís Ní Dhuibhne
5. **Cáca Milis** (Gearrscannán/*Short Film*) **nó An Lasair Choille** (Gearrdhráma/*Short Play*) le Caitlín Maude & Mícheál Ó hAirtnéide

Achoimre/*summary*

Téamaí/*themes*

Carachtair/*characters*

An fáth ar/nach maith leat an scéal/*Reason you like/dislike the story*

Prós Roghnach/ *Optional Prose*

Students may study a 'cúrsa roghnach próis'(*optional prose course*) instead of the 'cúrsa ainmnithe próis' (*named prose course*). Your teacher will tell you which one you are studying. There will be a set of questions for each course: in the examination, make sure you choose a question from the course you have studied.

Guidelines

- You must attempt (a) and (b) in the section.
- There is an internal choice in which you choose between two questions about one particular story.
- In the questions you are generally asked to write a summary, character analysis and whether you like or dislike the story.
- Keep sentences short and accurate.
- Back up any statement made.
- Spend approx 30 minutes on this section of the paper.
- Name the story and writer clearly.
- Study all options and choose the question you understand!

(All the above apply to the cúrsa roghnach as well)

When asked to write a **summary** answer, begin with: Rinne mé staidéar ar an ngearrscéal_____le _____./ *I studied the short story_____by_____.*

exam focus

Terms that often appear in this section.
déan cur síos ar: *describe*
luaigh: *mention*
saothar: *work (text)*
pearsa/carachtar: *character*
fáthanna: *reasons*
freagra: *answer*

To help you write a **theme** answer, it is worthwhile learning the selection of themes below.

Begin with: Baineann an scéal seo le_____. / *This story is about _____.*

1. **Grá**: Love

2. **Brón**: Sadness

3. **Uaigneas**: Loneliness

4. **Bás**: Death

5. **Bród**: Pride

6. **An Chlann**: The Family

7. **Meas**: Respect

8. **Gliceas**: Slyness

9. **Dílseacht**: Loyalty

10. **Dímheas**: Disrespect

1.

2.

10.

9.

8.

3.

5.

4.

6.

7.

Often you are required to write about a main **character**; it is worthwhile learning the list of adjectives below that you could use.

Sampla: Cén saghas duine é/í?: *Is duine_____ é/í.*

1.

2.

3.

4.

5.

1. **Cineálta**: Kind

2. **Glic**: Sly

3. **Amaideach**: Foolish

4. **Fíochmhar**: Fierce

5. **Grámhar**: Loving

6. **Cabhrach**: Helpful

7. **Cliste**: Clever

8. **Dea-chroíoch**: Good hearted

9. **Leithleach**: Selfish

10. **Dílis**: Loyal

11. **Santach**: Greedy

12. **Dúr**: Stubborn/stupid

12.

11.

10.

6.

7.

8.

9.

Oisín i dTír na nÓg/*Oisín in the Land of Youth*

Brief English summary:

Oisín lived in a little town in Ireland. He was a son of Fionn and a member of a band of warriors called *na Fianna*. One day he was out hunting when a beautiful woman called Niamh came along on a white horse. They fell in love and moved to 'The Land of Youth' where they had a family and would stay young forever. Oisín wanted to return to Ireland to see his father. Niamh allowed him to but warned him that he could not lay foot on Irish soil. When he arrived he met a group of men trying to move a stone; while helping them, he fell from his horse. He turned into an old man and could never return to see his wife and family in Tír na nÓg. He was broken-hearted.

Ceist a haon: Achoimre/*Summary*

Lá amháin, tháinig Oisín ar chapall bán. Bhí trí chéad fear **ag baint cloiche** faoin tuath. Thug Oisín cabhair dóibh mar bhí sé an-láidir. Bhris an **giorta** agus thit sé den chapall. Tháinig **athrú** air agus bhí sé ina sheanfhear. Bhuail sé le Naomh Pádraig agus d'inís sé a scéal dó. Lá amháin, bhí sé amuigh faoin aer leis na Fianna. Tháinig cailín dathúil ar chapall bán agus dúirt sí go raibh sí i ngrá le hOisín. Niamh Chinn Óir ab ainm di.

Pósadh iad agus chuaigh siad ar ais go Tír na nÓg agus bhí triúr páistí acu. Bhí uaigneas ar Oisín. Faoi dheireadh, d'fhill sé ar Éirinn agus **ní raibh cead aige** a chos a leagan ar thalamh na hÉireann. Bhí Niamh buartha. Nuair a shroich sé Éire, **thug sé cabhair** don slua fear ach thit sé den chapall. Bhí sé **fágtha ina aonar**, ina sheanfhear in Éirinn go deo.

One day, Oisín came along on a white horse. There were 300 men lifting a stone in the countryside. Oisín helped them as he was strong. He broke the girth and fell off the horse. He changed and became an old man. He met with St. Patrick and told him his story. One day, he was out in the air with the Warriors. A good-looking girl came on a white horse and said she loved Oisín. Her name was Niamh of the Golden Hair.

They married and went to The Land of Youth where they had three children. Oisín was lonely. Finally he returned to Ireland but was not allowed to lay foot on Irish soil. Niamh was worried. When he arrived he helped the group of men but fell from the horse. He was left on his own as an old man in Ireland forever.

Gluais

ag baint cloiche: *moving a stone*	ní raibh cead aige: *He wasn't allowed*
giorta: *girth (on a horse)*	thug sé cabhair: *he gave help*
athrú: *change*	fágtha ina aonar: *left on his own*

Ceist a dó: Téamaí/*Themes*

Here you should be able to adapt various themes to different stories. A theme is a central subject of a story.

Mention the theme as often as possible!

In this case the themes are:

grá: *love*

cruachás: *difficulty/hardship*

brón: *sadness*

aiféala: *regret*

draíocht: *magic*

Téama 1:
Grá/*Love*

Here is a sample of a good theme answer: use this
layout as a guide for all theme answers

SAMPLE ANSWER

name of story

theme

Sa scéal seo, '*Oisín i dTír na nÓg*',
tá **grá** le feiceáil.

Lá amháin, bhí Fionn, Oisín agus
na Fianna **ag seilg**. Chonaic siad
bean dhathúil ag teacht ar chapall
bán; Niamh a bhí ann.

theme

Thit sí i n**grá** le hOisín an lá sin
agus chuaigh siad ar ais go dtí Tír
na nÓg. Bhí brón ar Oisín ag fágáil
a athar bhoicht, ach fós, bhí sé i

theme

n**grá** le Niamh. Bhí páistí acu agus
bhí siad i n**grá** le chéile. Lá amháin

theme

shocraigh Oisín ar phlean **chun
filleadh ar ais go hÉirinn** chun a
athair agus na Fianna a fheiceáil.
Bhí Niamh buartha ach chuaigh sé.
Nuair a shroich sé an áit, bhuail sé
le grúpa fear a bhí ag baint cloiche.
Thit sé den chapall agus go tobann
bhí sé ina sheanfhear. Chaill sé

theme

gach rud mar bhí **grá** láidir aige dá
athair.

theme

Cinnte, tá **grá** le feiceáil sa scéal
seo.

In this story, '*Oisín in the Land of
Youth*', love is to be seen.

One day, Fionn, Oisín and the
Fianna were hunting. They saw a
beautiful woman on a white
horse; it was Niamh.

She fell in love with Oisín that day
and they went back to the Land of
Youth. Oisín was sad leaving his
poor father, but still, he was in love
with Niamh. They had children and
they were in love with each other.
One day, Oisín decided to go back
to Ireland to see his father and the
Fianna. Niamh was worried but he
went. When he reached the place,
he met a group of men who were
moving a stone. He fell from the
horse and suddenly he became an
old man. He lost everything
because he had strong love for his
father.

Definitely, there is love to be seen
in this story.

S
U
M
M
A
R
Y

Finish

Gluais

ag seilg: *hunting*
chun filleadh ar ais go hÉirinn: *to return to
Ireland*

bhí sé ina sheanfhear: *he was an old man*

Téama 2:
Brón/*Sadness*

SAMPLE ANSWER

name of story

theme

Sa scéal seo, 'Oisín i dTír na nÓg', tá **brón** le feiceáil.

Lá amháin, bhí Fionn, Oisín agus na Fianna ag seilg. Chonaic siad bean dhathúil ag teacht ar chapall bán; Niamh a bhí ann.

theme

theme

theme

theme

theme

Thit sí i ngrá le hOisín an lá sin agus chuaigh siad ar ais go dtí Tír na nÓg. Bhí **brón** ar Oisín ag fágáil a athar bhoicht, ach fós, bhí sé i ngrá le Niamh. Bhí páistí acu ach fós bhí **brón** air. Lá amháin shocraigh Oisín ar phlean chun filleadh ar ais go hÉirinn chun a athair agus na Fianna a fheiceáil. Bhí Niamh buartha ach chuaigh sé. Nuair a shroich sé an áit, bhuail sé le grúpa fear a bhí ag baint cloiche. Thit sé den chapall agus go tobann **bhí sé ina sheanfhear**. Chaill sé gach rud agus **bhí a chroí briste don athair fágtha ina aonar**. Bhí **brón** ar an léitheoir do Niamh agus dá clann agus bhí **brón** ann fosta d'Oisín bocht fágtha ina sheanfhear.

theme

Cinnte, tá **brón** le feiceáil sa scéal seo.

In this story, 'Oisín in the Land of Youth', sadness is to be seen.

One day, Fionn, Oisín and the Fianna were hunting. They saw a beautiful woman on a white horse; it was Niamh.

She fell in love with Oisín that day and they went back to the Land of Youth. Oisín was sad leaving his poor father, but still, he was in love with Niamh. They had children but he was still sad. One day, Oisín decided to go back to Ireland to see his father and the Fianna. Niamh was worried but he went. When he reached the place, he met a group of men who were moving a stone. He fell from the horse and suddenly he became an old man. He lost everything and his heart was broken for his father left alone. The reader felt sad for Niamh and her family and sad too for poor Oisín left as an old man.

Definitely, there is sadness to be seen in this story.

S U M M A R Y

Finish

Ceist a trí: Carachtair

In this section if asked about characters, you are expected to choose a character, write what kind of person you think he/she is and **give reasons** for your answer.

- Oisín (fear céile/laoch: *husband/hero*)
- Niamh Chinn Óir (bean chéile: *wife*)

Carachtar 1: Oisín

Oisín: láidir/*strong*, cróga/*brave*, dílis/*loyal*, dathúil/*good-looking*, grámhar/*loving*, uaigneach/*lonely*, cabhrach/*helpful*

adjective ▸ adjective ▸ evidence ▸ evidence ▸ evidence ▸	Is fear **cabhrach** agus **grámhar** é. Tugann sé cabhair don ghrúpa fear atá ag baint na cloiche. Bhí a lán grá aige dá chlann agus dá athair. Bhí brón an domhain air ag fágáil na tíre. Tháinig sé ar ais chun a athair bocht a fheiceáil ach thit sé den chapall.

He is a helpful and loving man. He gives help to the group of men that are moving the stone. He had lots of love for his family and his father. He was sad leaving the country. He came back to see his poor father but he fell from the horse.

Other options:

adjective ▸ evidence ▸ adjective ▸ evidence ▸ adjective ▸ evidence ▸	Is duine **amaideach** é mar téann sé ar ais agus titeann sé den chapall. Is duine **cróga** é mar troideann sé in aghaidh an rí agus ligeann sé saor iníon an rí. Is duine **ceanndána** é mar fágann sé slán ag Niamh agus tá a fhios aige go mbeidh sé i dtrioblóid má leagann sé a chos ar thalamh na hÉireann.

He's a silly man because he goes back and falls off the horse.

He's a brave man because he fights against the king and he lets the king's daughter free.

He's a stubborn man because he says goodbye to Niamh and he knows he will be in trouble if he lays a foot on Irish soil.

Carachtar 2: Niamh

Niamh Chinn Óir: dathúil/*good-looking*, álainn/*beautiful*, leithleach/*selfish*, grámhar/*loving*, draíochtúil/*magical*

Is bean **dhathúil** í, dúirt an scéal go raibh sí go hálainn ar chapall bán an lá sin.

She's a good-looking woman, the story says she was lovely on her white horse that day.

Is bean **leithleach** í, níl cead ag Oisín filleadh ar ais go dtí a mhuintir.

She's a selfish woman, Oisín is not allowed to return to his family.

Is bean **ghrámhar** í, titeann sí i ngrá le hOisín ar an toirt agus pósadh iad.

She's a loving woman, she falls in love with Oisín on the spot and they are married.

Is bean **dhraíochtúil** í, cuireann sí Oisín faoi gheasa agus cónaíonn sí i dTír na nÓg.

She's magical, she puts Oisín under a spell and she lives in the Land of Youth.

Ceist a ceathair: An maith leat an scéal? Cén fáth?

Bhain mé taitneamh as an scéal 'Oisín i dTír na nÓg'. Cheap mé go raibh sé suimiúil agus bhain mé taitneamh as na téamaí. Is scéal grá é ach tá críoch bhrónach leis. Nuair a bhí Niamh ina hóige bhí a fhios aici go mbeadh sí pósta le hOisín. Chuala sí scéalta laochra faoi Oisín. Bhí sí an-dathúil. Is breá liom carachtar Oisín. Bhí sé cróga, láidir agus grámhar. Thit sé i ngrá le Niamh ach bhí brón an domhain air ag fágáil a athar. Bhí croí briste aige agus d'fhill sé ar Éirinn chun a athair a fheiceáil. Tuigim an grá sin. Thug sé cabhair ag baint na cloiche agus ansin, thit sé den chapall. Bhí sé fágtha ina sheanfhear — dall agus gan chlann.

I enjoyed the story 'Oisín in the Land of Youth'. I thought it was interesting and I enjoyed the themes. It's a love story but there's a sad ending to it. When Niamh was in her youth she knew she would be married to Oisín. She heard warrior stories about Oisín. She was very good-looking. I love the character of Oisín. He was brave, strong and loving. He fell in love with Niamh but he was very sad leaving his father. He was broken-hearted and he returned to Ireland to see his father. I understand that love. He helped moving the stone and then he fell from the horse. He was left as an old man — blind and without a family.

key point

Similar vocabulary re-occurs throughout the following stories/drama/film: *An Gnáthrud, Seal i Neipeal, Dís, Cáca Milis, An Lasair Choille* agus *Hurlamboc*. Use and reuse it!

Seal i Neipeal/*A Time in Nepal* le Cathal Ó Searcaigh

Brief English summary:

Cathal Ó Searcaigh had just eaten dinner when a man came in. The man started asking him questions and Cathal didn't trust him. The man was telling lies and saying he was making a lot of money. He asked Cathal to invest in setting up a business. Cathal invested a couple of euro (lire) and the man thought he was rich! The man left for bed. The next morning Cathal awoke and the man was gone. He found out the man had left for Kathmandu, had a wife and kids, was separated and had no intention of investing anything!

exam focus

You will answer on either Seal i Neipeal or An Gnáthrud.

Ceist a haon: Achoimre/*Summary*

Bhí Cathal ag fanacht i Neipeal. Oíche amháin nuair a bhí an dinnéar thart tháinig fear chuige. Thosaigh siad ag caint le chéile. Chuir an fear ceisteanna air faoina thír, faoina mhuintir agus faoina shaol. Ní raibh muinín ag Cathal as. Fear gnó a bhí ann; bhí **a lán airgid** aige — dar leis! Bhí a fhios ag Cathal go raibh sé **ag insint bréige** dó. **Theastaigh airgead ó Chathal uaidh** do chomhlacht. Cheannaigh Cathal deoch dó agus d'ól sé go tapa é. Bhí Ang agus Wong Chuu ag éisteacht sa chistin. Bhí siad buartha faoi Chathal. **Ní raibh muinín acu as** an bhfear ach oiread. Thuig Cathal cad a bhí ar siúl agus bhí sé ag spraoi leis. Cheap an fear gurbh amadán é. Níorbh aon amadán é! Thug sé cúpla euro dó (lire!) agus cheap an fear go raibh sé saibhir. Dúirt an **fear bréagach** go gcuirfeadh sé airgead Chathail isteach sa ghnó a bhí aige. D'fhág siad agus an mhaidin ina dhiaidh bhí an fear imithe! Fuair Cathal an **fíorscéal**, go raibh bean agus páistí aige, go raibh sé scartha, gan ghnó ná airgead! Agus gur mhaith leis an t-ól!

Cathal was staying in Nepal. One night when the dinner was over, a man came up to him. They started talking together. The man asked him questions about his country, his family and his life. Cathal didn't trust him. He was a businessman; he had a lot of money — according to himself! Cathal knew that he was lying to him. He wanted money from Cathal for his company. Cathal bought him a drink and he drank it fast. Ang and Wong Chuu were listening in the kitchen. They were worried about Cathal. They didn't trust the man either. Cathal knew what was going on and he was playing with the man. The man thought Cathal was a fool. He was no fool! He gave him a few euro (lire!) and the man thought he was rich. The lying man said that he would put Cathal's money into the business that he had. They left and the next morning the man was gone! Cathal got the real story, that he had a wife and children, that he was separated, with no business or money! That he liked the drink!

Bhuail Cathal cliste bob ar an bhfear amaideach! **Chuir sé dallamúllóg air**! Bhí áthas ar Chathal!

Clever Cathal tricked the silly man! He fooled him! Cathal was happy!

Gluais

a lán airgid: *a lot of money*
ag insint bréige: *telling lies*
theastaigh airgead ó Chathal uaidh: *he wanted money from Cathal*
ní raibh muinín acu as: *they didn't trust him*
fear bréagach: *lying man*

fíorscéal: *real story*
bhuail Cathal bob air: *Cathal played a trick on him*
chuir sé dallamullóg air: *he fooled him*

Ceist a dó: Téamaí/*Themes*

exam focus

A theme is a central subject of a story. In this case the themes are:

1. **gliceas**: *slyness*

2. **saint**: *greed*

3. **greann**: *humour*

4. **díoltas**: *revenge*

5. **clisteacht**: *cleverness*

6. **caimiléireacht**: *cheating/dishonesty*

key point

You should be able to adapt various themes to different stories.

1.

2.

4.

3.

6.

5.

Téama 1:
Gliceas/*Slyness*

Here is a sample of a good theme answer: use for all theme answers but change your theme choice!

SAMPLE ANSWER

name of story ➤

name of author ➤

theme ▾

theme ◀

theme ◀

theme ◀

Sa scéal greannmhar seo, **'Seal i Neipeal'** le **Cathal Ó Searcaigh,** tá **gliceas** le feiceáil.	*In this funny story, 'A Time in Nepal' by Cathal Ó Searcaigh, slyness is to be seen.*
Sa scéal seo atá suite i Neipeal, bhí Cathal ag caint le fear dúchais oíche amháin cois tine. Chuir sé ceisteanna ar Chathal. Bhí suim aige i gCathal agus bhí Cathal neamhchinnte faoin bhfear. Is duine **glic** é an fear bocht seo mar rinne sé iarracht chun airgead Chathail a fháil. Bhí gnó aige in Kathmandu. Dúirt sé go raibh sé saibhir. Dúirt sé go raibh sé ábalta an t-airgead a chur isteach ina ghnó a bhí an-rathúil. Ní raibh muinín ag Cathal as. Cheap an fear gurbh amadán é Cathal, ach níorbh amadán é! Ba dhuine **glic** é Cathal mar thuig sé cad a bhí ar siúl agus lig sé air gur chreid sé an fear, ach níor chreid. Thug Cathal lire dó don ghnó sin (cúpla euro, i ndáiríre) agus bhí an fear lánsásta leis féin. Bhí sé déanach agus d'imigh siad ón gcistin. An mhaidin ina dhiaidh sin, bhí an fear imithe. Bhí áthas ar Chathal nár chreid sé an fear bréagach agus gur bhuail sé bob air!	*In this story that is situated in Nepal, Cathal was talking to a local man one night by the fire. He asked Cathal questions. He was interested in Cathal and Cathal was unsure about the man. The poor man is sly as he tried to get Cathal's money. He had a business in Kathmandu. He said he was rich. He said he was able to put the money into his own business that was very successful. Cathal didn't trust him. The man thought Cathal was a fool, but he was no fool! Cathal was sly because he knew what was going on and let on he believed the man, but he didn't. Cathal gave him lire for the business (a couple of euro, really) and the man was very happy with himself. It was late and they left the kitchen. The next morning, the man was gone. Cathal was happy that he hadn't believed the lying man and that he had tricked him!*
Cheap an fear go bhfuair sé a lán airgid ó Chathal ach i ndáiríre, bhí an gáire deireanach ag Cathal — fear **glic** ab ea é!	*The man thought that he got a lot of money from Cathal but, really, Cathal had the last laugh — he was a sly man!*

S
U
M
M
A
R
Y

Finish

Téama 2:
Díoltas/*Revenge*

SAMPLE ANSWER

name of story → Sa scéal greannmhar seo, **'Seal i Neipeal'** le **Cathal**

name of author → **Ó Searcaigh,** tá **díoltas** le feiceáil.

theme

In this funny story, 'A Time in Nepal' by Cathal Ó Searcaigh, revenge is to be seen.

Sa scéal seo atá suite i Neipeal, bhí Cathal ag caint le fear dúchais oíche amháin cois tine. Chuir sé ceisteanna ar Chathal. Bhí suim aige i gCathal agus bhí Cathal neamhchinnte faoin bhfear. Is duine glic é an fear bocht seo mar rinne sé iarracht chun airgead Chathail a fháil. Bhí gnó aige in Kathmandu. Dúirt sé go raibh sé saibhir. Dúirt sé go raibh sé ábalta an t-airgead a chur isteach ina ghnó a bhí an-rathúil. Ní raibh muinín ag Cathal as. Cheap an fear gurbh amadán é Cathal, ach níorbh amadán é! Ba dhuine

theme → **díoltasach** é Cathal mar thuig sé cad a bhí ar siúl agus lig sé air gur chreid sé an fear, ach níor chreid.

In this story that is situated in Nepal, Cathal was talking to a local man one night by the fire. He asked Cathal questions. He was interested in Cathal and Cathal was unsure about the man. The poor man is sly as he tried to get Cathal's money. He had a business in Kathmandu. He said he was rich. He said he was able to put the money into his own business that was very successful. Cathal didn't trust him. The man thought Cathal was a fool, but he was no fool! Cathal was vengeful because he knew what was going on and let on he believed the man, but he didn't.

Thug Cathal lire dó don ghnó sin (cúpla euro, i ndáiríre) agus bhí an fear lánsásta leis féin. Bhí sé déanach agus d'imigh siad ón gcistin. An mhaidin ina dhiaidh sin, bhí an fear imithe. Bhí áthas ar Chathal nár chreid sé an fear bréagach agus gur bhuail sé bob air. **Bhain sé díoltas amach**.

theme → Cheap an fear go bhfuair sé a lán airgid ó Chathal ach i ndáiríre, bhí an gáire deireanach ag Cathal!

— **Díoltas ceart** a bhí ann!

Cathal gave him lire for the business (a couple of euro, really) and the man was very happy with himself. It was late and they left the kitchen. The next morning, the man was gone. Cathal was happy that he hadn't believed the lying man and that he had tricked him! He got revenge. The man thought that he got a lot of money from Cathal but, really, Cathal had the last laugh.

It was proper revenge!

S U M M A R Y

Finish

Ceist a trí: Carachtair

- Cathal (an scríbhneoir/*writer*)
- An fear dúchais (an bréagadóir/*liar*)

Cén carachtar is fearr leat? Cén saghas duine é? Cén fáth?

Cathal: glic/*sly*, díoltasach/*vengeful*, cliste/*clever*, ciallmhar/*sensible*, foighneach/*patient*

An fear dúchais: bréagach/*lying*, cainteach/*talkative*, glic/*sly* amaideach/*foolish*, santach/*greedy*

sly
vengeful
patient
sensible
clever

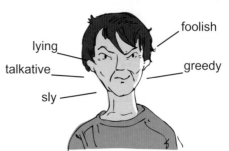

foolish
lying
greedy
talkative
sly

Is fearr liom Cathal. Ba fhear **cliste, ciallmhar é**. Rinne an fear amaideach iarracht dallamullóg a chur air. Lig Cathal air féin gur chreid sé a scéalta faoin ngnó a bhí aige ach bhí ciall ag Cathal agus níor chreid sé é. D'éist sé leis go cúramach agus go foighneach ach bhí an gáire deireanach aige ag an deireadh!

I prefer Cathal. He was a clever, sensible man. The foolish man tried to fool him. Cathal let on that he believed his stories about the business he had but Cathal had sense and didn't believe him. He listened carefully and patiently but Cathal had the last laugh at the end.

Ceist a ceathair: An maith leat an scéal? Cén fáth?

Bhain mé taitneamh as an scéal 'Seal i Neipeal' le Cathal Ó Searcaigh. Bhí sé greannmhar agus taitneamhach. Is fearr liom Cathal. Ba dhuine cliste, ciallmhar, greannmhar é. Thuig sé go raibh an fear ag cur dallamullóg air. Cheap mé ar dtús gur chreid Cathal a scéalta ach, buíochas le Dia, bhí a fhios aige gur bhréagadóir a bhí ann. Is maith liom an scéal mar scéal réadúil a bhí ann. Is breá liom scéalta faoi thíortha thar sáile. Bhí clisteacht Chathail greannmhar! Bhí an chríoch sásúil freisin mar fuaireamar amach go raibh an fear imithe go dtí an banc leis an gcúpla euro a thug Cathal dó! An créatúr bocht!

I enjoyed 'A Time in Nepal' by Cathal Ó Searcaigh. It was funny and enjoyable. I prefer Cathal. He was a clever, sensible, funny person. He knew that the man was fooling him. I thought at first that Cathal believed his stories but, thank God, he knew that the man was a liar. I like the story because it was realistic. I love stories about countries abroad. Cathal's cleverness was funny! The end was satisfying too because we found out that the man was gone to the bank with the couple of euro that Cathal gave him! The poor creature!

An Gnáthrud/*The Usual Thing* le Deirdre Ní Ghrianna:

Brief English summary:

In Belfast, one Friday night, Jimmy — the main character — was having his weekly pint with the locals after working all week. He started to think about his wife and children at home and decided to leave early and grab Chinese food on the way. On his way, he thought of how lucky he was to have a wife like Sarah and a family that loved him. When he arrived into the Chinese restaurant the girl working, Liz, gave him 'An Gnáthrud'/'*The usual*' and he headed home. As he walked away lost in his own thoughts, a car drove by in the dark and he was shot in the head. Blood pumped out and mixed into the food on the empty grey ground.

You will answer on either Seal i Neipeal or An Gnáthrud.

Ceist a haon: Achoimre/*Summary*

Dé hAoine a bhí ann i mBéal Feirste. Chuaigh Jimmy go dtí an teach tábhairne. Chaith sé an tseachtain ag obair agus chuaigh sé go dtí an teach tábhairne gach Aoine. Bhí sé pósta; Sarah ab ainm di. Bhí sí sa bhaile lena bpáistí. Bhí triúr páistí aige. Bhí gnáth-theach deas aige agus bhí grá aige dá chlann. Bhí an t-ádh air. Thosaigh sé ag smaoineamh ar Sarah. **Mhothaigh sé ciontach** mar bhí sé amuigh lena chairde. D'fhág sé an teach tábhairne go luath mar ba mhaith leis a chlann a fheiceáil.

It was a Friday in Belfast. Jimmy went to the pub. He spent the week working and he went to the pub every Friday. He was married; Sarah was her name. She was at home with their children. He had three children. They had an ordinary nice house and he loved his family. He was lucky. He started thinking about Sarah. He felt guilty because he was out with his friends. He left the pub early because he wanted to see his family.

Chuaigh sé go dtí an 'Jasmine Palace' chun bia a fháil. Bhí bean óg ag obair ann; Liz ab ainm di. Bhí páiste aici agus dúirt sí go raibh Jimmy luath don bhia. Tháinig duine óg isteach ag lorg airgid; thug Jimmy cúpla pingin dó. D'fhág an buachaill. D'úsáid na daoine óga amuigh caint mhaslach. Fuair Jimmy an bia agus d'fhág sé.

He went to the 'Jasmine Palace' to get food. There was a young woman working there; Liz was her name. She had a child and said that Jimmy was early for his food. A young person came in looking for money. Jimmy gave a couple of pennies. The boy left. The young people outside used offensive talk. Jimmy got the food and left.

Nuair a chuaigh sé amach ní fhaca sé an carr sa dorchadas. **Scaoil duine éigin urchar** a bhuail Jimmy bocht. Thit sé ar an talamh, bhí sé ag cur fola, **marbh** agus an fhuil **measctha** leis an mbia.

When he went outside, he didn't see the car in the darkness. Someone fired a shot that hit poor Jimmy. He fell to the ground, he was bleeding, dead, and the blood mixed with the food.

Gluais

mhothaigh sé ciontach: *he felt guilty*
scaoil sé urchar: *he fired a shot*
marbh: *dead*
measctha: *mixed*

Ceist a dó: Téamaí/*Themes*

A theme is a central subject of a story. In this case the themes are:

grá: *love*

an chlann: *the family*

brón: *sadness*

tragóid: *tragedy*

bás: *death*

mí-ádh: *misfortune*

key point

You should be able to adapt various themes to various stories.

Téama 1:
Brón/*Sadness*

Here is a sample of a good theme answer: use for all theme answers but change your theme choice!

SAMPLE ANSWER

name of story →

author →

theme →

Sa scéal tragóideach seo **'An Gnáthrud'** le **Deirdre Ní Ghrianna,** tá **brón** le feiceáil. Is scéal **brónach** é.

> theme

theme →

Oíche amháin, i mBéal Feirste, chuaigh Jimmy, an príomhcharachtar, go dtí an teach tábhairne. Chuaigh sé ann gach Aoine. Bhí sé ag obair gach seachtain agus, de ghnáth, chuaigh sé go dtí an teach tábhairne tar éis seachtain oibre. Thosaigh sé ag smaoineamh ar a chlann. Mhothaigh sé grá láidir dóibh. Mhothaigh sé **ciontach** agus shocraigh sé ar dhul abhaile. Bhí **brón** air **ag smaoineamh ar** ghnáthoíche dá bhean. Chríochnaigh sé a dheoch agus ar aghaidh leis chun bia a fháil. Stop sé ag an mbialann áitiúil agus arís, thosaigh sé ag smaoineamh ar a bhean chéile, Sarah, agus ar a pháistí. Bhí déagóirí garbha sa bhialann Shíneach agus iad ar meisce. D'fhág Jimmy leis an mbia. Ach as an ngnách, tháinig carr ait ón dorchadas agus **scaoil duine éigin urchar. Fuair Jimmy bás.** Bhí an bia agus a chorp **marbh** fágtha ar an talamh.

theme →

theme →

Bhí **brón** orm don chlann nuair a léigh mé an scéal. Is scéal **brónach, tragóideach** é, cinnte.

In this tragic story 'The Usual Thing' by Deirdre Ní Ghrianna, sadness is to be seen. It is a sad story.

One night, in Belfast, Jimmy, the main character, went to the pub. He went there every Friday. He was working every week and normally he went to the pub after the week's work. He started thinking about his family. He felt strong love for them. He felt guilty and decided to go home. He felt sad thinking about a normal night for his wife. He finished his drink and off he went to get food. He stopped at the local restaurant and again, he started thinking about his wife Sarah and his children. There were rough, drunk teenagers in the Chinese restaurant. Jimmy left with the food. But, unexpectedly, a strange car came out of the darkness and someone fired a bullet. Jimmy died. The food and his dead body were left on the ground.

S U M M A R Y

I felt sad for the family when I read the story. It's a sad, tragic story, definitely.

Finish

Gluais

ciontach: *guilty*	fuair Jimmy bás: *Jimmy died*
ag smaoineamh ar: *thinking about*	marbh: *dead*
scaoil sé urchar: *he fired a shot*	tragóideach: *tragic*

Téama 2:
Bás/*Death*

SAMPLE ANSWER

name of story →

author →

Sa scéal tragóideach seo **'An Gnáthrud'** le **Deirdre Ní Ghrianna,** tá **an bás** le feiceáil. Is scéal **brónach** é.

theme

Oíche amháin, i mBéal Feirste, chuaigh Jimmy, an príomhcharachtar, go dtí an teach tábhairne. Chuaigh sé ann gach Aoine. Bhí sé ag obair gach seachtain agus, de ghnáth, chuaigh sé go dtí an teach tábhairne tar éis seachtain oibre. Thosaigh sé ag smaoineamh ar a chlann. Mhothaigh sé grá láidir dóibh. Mhothaigh sé ciontach agus shocraigh sé ar dhul abhaile. Bhí brón air ag smaoineamh ar ghnáthoíche dá bhean. Chríochnaigh sé a dheoch agus ar aghaidh leis chun bia a fháil. Stop sé ag an mbialann áitiúil agus arís, thosaigh sé ag smaoineamh ar a bhean chéile, Sarah, agus ar a pháistí. Ach as an ngnách, tháinig carr ait ón dorchadas agus **scaoil**

theme → duine éigin urchar. Fuair Jimmy **bás**. Bhí an bia agus a chorp

theme → **marbh** fágtha ar an talamh.

theme → Bhí **bás** le feiceáil go soiléir sa scéal. Is scéal brónach, tragóideach é, cinnte. Gnáthfhear a bhí san áit mhícheart ar an am mícheart.

In this tragic story 'The Usual Thing' by Deirdre Ní Ghrianna, death is to be seen. It is a sad story.

One night, in Belfast, Jimmy, the main character, went to the pub. He went there every Friday. He was working every week and normally he went to the pub after the week's work. He started thinking about his family. He felt strong love for them. He felt guilty and decided to go home. He felt sad thinking about a normal night for his wife. He finished his drink and off he went to get food. He stopped at the local restaurant and again, he started thinking about his wife Sarah and his children. But, unexpectedly, a strange car came out of the darkness and someone fired a bullet. Jimmy died. The food and his dead body were left on the ground.

Death could be clearly seen in the story. It's a sad, tragic story, definitely. An ordinary man who was in the wrong place at the wrong time.

S
U
M
M
A
R
Y

Finish

Ceist a trí: Carachtair

- Jimmy (fear céile/gnáthfhear)
- Sarah (bean chéile/gnáthbhean)

Cén saghas duine é Jimmy?

Jimmy: grámhar/*loving*, lách/*gentle*, cineálta/*kind*, athair maith/*good father*

adjective adjective evidence adjective evidence adjective evidence evidence	Is athair **grámhar** é Jimmy. Tá **grá láidir** aige dá chlann. Bhí brón air nuair a smaoinigh sé ar a bhean chéile sa bhaile ina haonar lena pháistí fad is a bhí sé amuigh ag ól lena chairde. Bhí sé **i ngrá** le Sarah agus d'fhág sé an teach tábhairne chun dul abhaile go luath an oíche sin. Bhí **grá** Jimmy an-soiléir mar thosaigh sé ag smaoineamh go sona sásta ar shaol teaghlaigh agus a bhean chéile. Bhí deifir air mar ba mhaith leis a chlann a fheiceáil. Faraor, ní fheicfidh sé a chlann arís.

Jimmy is a loving father. He has strong love for his family. He was sad when he thought about his wife alone at home with his children while he was out drinking with his friends. He was in love with Sarah and he left the pub to go home early that night. Jimmy's love was very clear because he started thinking happily about family life and his wife. He was in a hurry because he wanted to see his family. Unfortunately he will not see his family again.

Ceist a ceathair: An maith leat an scéal?

Bhain mé taitneamh as 'An Gnáthrud' le Deirdre Ní Ghrianna. Is scéal brónach tragóideach é. Bhain an scéal seo le gnáthchlann. Chuaigh Jimmy go dtí an teach tábhairne lena chairde gach Aoine ach, an oíche sin, mhothaigh sé ciontach agus bhrostaigh sé abhaile. Dé ghnáth d'fhaigheadh sé bia dá chlann sa bhialann agus stop sé ann mar ba ghnách. Bhí an t-atmaisféar íseal agus dorcha le linn an scéil. Tháinig grúpa fear óg agus d'úsáid siad caint mhaslach. Níor bhain sé le Jimmy agus d'fhág sé an bhialann ina aonar.

I enjoyed the story 'The Usual Thing' by Deirdre Ní Ghrianna. It's a tragic, sad story. This story concerned an ordinary family. Jimmy went to the pub every Friday with his friends but, that night, he felt guilty and hurried home. Normally, he got food for his family from the restaurant and he stopped there as usual. The atmosphere was low and dark throughout the story. A group of young men came and they used offensive language. It didn't concern Jimmy and he left the restaurant alone.

Go tobann scaoil duine urchar agus fuair Jimmy bás. Bhí an téama láidir agus bhí brón orm ag léamh an scéil. Baineadh geit asam leis na híomhánna a chonaic mé sa scéal seo.

Suddenly, someone fired a bullet and Jimmy died. The theme was strong and I was sad reading the story. I got a fright with the imagery I saw in this story.

Dís/*The Pair* le Siobhán Ní Shúilleabháin

Brief English summary:

One evening, Seán comes into the kitchen reading the paper. His wife tells him she is in the paper. She claims she took part in a survey for a woman who came to the door one January morning. The survey was about married life. It concludes that 25% of married women are unhappy. The stranger claimed to be married two years and was pregnant. The wife says she will be happy to take over the woman's job because she is pregnant. She'll be able to buy a new oven with the money. Seán is annoyed that she would do such a thing. She says she was angry with Seán for something he had done that morning and that is why she agreed. She admits the woman was probably lying. She says she appreciated spending the morning having a chat with the stranger whether she was lying or not.

Ceist a haon: Achoimre/*Summary*

Tráthnóna amháin, bhí Seán agus a bhean chéile cois tine. Bhí sé ag léamh an pháipéir. Dúirt an bhean leis an paipéar a chur síos chun caint léi. Dúirt sí gur mó ba mhaith leis an páipéar ná a bhean. Bhí tuirse ar Sheán. Chuir sé an páipéar síos agus dúirt an bhean go raibh an **lánúin** iad féin sa pháipéar! Mar ghlac sí páirt i **suirbhé**.

One evening, Seán and his wife were beside the fire. He was reading the paper. The woman said to him to put the paper down to talk to her. She said he liked the paper more than her! Seán was tired. He put the paper down and she said the couple themselves were in the paper! Because she took part in a survey.

Maidin amháin, in Eanair tháinig strainséir chuig an doras, dúirt sí go raibh ceisteanna aici faoin saol pósta. Bhí an strainséir pósta agus ag súil le leanbh go luath. Thairg sí a post don bhean an mhaidin sin. Ghlac an bhean chéile an post chun sorn a cheannach. Bhí sí **míshona** an lá sin.

One morning, in January a stranger came to the door, she said she had questions about married life. The stranger was married and expecting a baby soon. She offered her job to the woman that morning. The woman accepted so she could buy an oven. She was unhappy that day.

Bhí Seán crosta léi mar bhí sí ag rá a **gnóthaí príobháideacha** féin go hoscailte. Dúirt an bhean chéile gur inis sí bréaga don strainséir freisin ach dúirt sí go raibh fearg uirthi leis an mhaidin sin agus bhí sí **bréan den** ghnáthrud. Bhí a fhios aici go raibh an strainséir **ag insint bréige** ach bhain sí taitneamh as an maidin sin léi.

Seán was cross with her because of telling her private business so openly. The woman said she had told lies to the stranger as well but she said she had been angry with Seán that morning and was sick of the usual routine. She knew that the stranger was lying but she had enjoyed that morning with her.

Gluais

lánúin: *couple*
suirbhé: *survey*
míshona: *unhappy*
gnóthaí príobháideacha: *private business*

bréan den ghnáthrud: *sick of the usual routine*
ag insint bréige: *telling a lie*

Ceist a dó: Téamaí/*Themes*

A theme is a central subject of a story. In this case the themes are:

leadrán sa saol: *boredom with life*

saol pósta: *married life*

tuirse: *tiredness*

greann: *humour*

míshonas: *unhappiness*

clisteacht: *cleverness*

fearg: *anger*

uaigneas: *loneliness*

You should be able to adapt various themes to various stories.

Téama 1:

Leadrán sa saol/*Boredom with life*

Here is a sample of a good theme answer: use for all theme answers but change your theme choice!

SAMPLE ANSWER

name of story

author

theme

Sa scéal seo **'Dís'** le **Siobhán Ní Shúilleabháin**, tá **leadrán sa saol** le feiceáil.

Lá amháin bhí lánúin sa chistin. Bhí an leanbh ina chodladh, stéig sa chistin agus an carr sa gharáiste. Gnáthlánúin a bhí ann. Bhí an fear amach ag obair gach lá agus bhí an bhean sa bhaile ag tabhairt aire don teach. Thosaigh an fear ag léamh an pháipéir agus bhí fearg ar an mbean mar **bhí**

theme **leadrán uirthi**. Cheap sí gur mhó ba mhaith leis an páipéar ná a bhean! Dúirt sí gur ghlac sí páirt sa suirbhé a bhí sa pháipéar a mhaígh go raibh a lán ban

theme **míshona ina saol pósta**. Dúirt sí gur tháinig strainséir chuig an doras deich mí ó shin ag déanamh suirbhé agus gur thairg sí a post don bhean mar go raibh sí ag súil le leanbh. Ghlac an bhean a tairiscint mar ba mhaith léi sorn a cheannach. Bhí an strainséir ag insint bréige agus níor chreid an bhean chéile í, ach bhain sí

theme taitneamh aisti. Bhí **fearg agus**

theme **leadrán** uirthi an mhaidin sin. Bhí sí **bréan den** ghnáthrud **lá i**

theme **ndiaidh lae**.

theme Ba bhean tí í agus **tuirse an**

theme **domhain** uirthi. Rinne sí **an rud**

theme **céanna** lá i ndiaidh lae. Ní raibh sí ábalta comhrá a dhéanamh lena fear céile.

In this story, 'The Pair' by Siobhán Ní Shúilleabháin, boredom with life is to be seen.

One day, there was a couple in the kitchen. The baby was asleep, steak in the kitchen and the car in the garage. An ordinary couple. The man was out working every day and the wife was at home looking after the house. The man started reading the newspaper and the woman was annoyed because she was bored. She thought he liked the paper more than her! She said she had taken part in a survey that was in the paper that claimed a lot of women were unhappy in their marriage. She said a stranger came to the door ten months ago doing a survey and offered the job to the wife because she was expecting a baby. The woman accepted the offer because she wanted to buy an oven. The stranger was telling lies and the wife didn't believe her, but she enjoyed her. She was angry and bored that morning. She was sick of the usual routine day after day.

She was a housewife and was extremely tired. She did the same thing day after day. She wasn't able to talk to her husband.

S
U
M
M
A
R
Y

Finish

Téama 2:
Fearg/*Anger*

SAMPLE ANSWER

name of story

author

theme

Sa scéal seo '**Dís**' le **Siobhán Ní Shúilleabháin**, tá **fearg** le feiceáil. Is gearrscéal é.

Lá amháin bhí lánúin sa chistin. Bhí an leanbh ina chodladh, stéig don dinnéar agus an carr sa gharáiste. Gnáthlánúin a bhí ann. Bhí an fear amuigh ag obair gach lá agus bhí an bhean sa bhaile ag tabhairt aire don teach. Thosaigh an fear ag léamh an pháipéir agus bhí fearg ar an mbean mar bhí leadrán uirthi. Cheap sí gur mhó ba mhaith leis an páipéar ná a bhean! Dúirt sí gur ghlac sí páirt sa suirbhé a bhí sa pháipéar a mhaígh go raibh a lán ban míshona ina saol pósta. Dúirt sí gur tháinig strainséir chuig an doras deich mí ó shin ag déanamh suirbhé agus gur thairg sí a post don bhean mar go raibh sí ag súil le leanbh. Ghlac an bhean a tairiscint mar ba mhaith léi sorn a cheannach.

theme

Bhí **fearg** ar an bhfear mar dúirt sí a gnóthaí féin léi. Bhí an strainséir ag insint bréige agus níor chreid an bhean chéile í, ach bhain sí taitneamh aisti. Bhí **fearg agus leadrán** uirthi an mhaidin sin. Bhí sí bréan den ghnáthrud lá i ndiaidh lae.

theme

Ba bhean tí í agus tuirse an domhain uirthi. Rinne sí an rud céanna lá i ndiaidh lae. Ní raibh sí ábalta comhrá a dhéanamh lena fear céile. Bhí **frustrachas** uirthi leis. Bhí fearg uirthi freisin mar d'inis an strainséir bréige di!

theme

In this story, 'The Pair' by Siobhán Ní Shúilleabháin, anger is to be seen. It is a short story

One day, there was a couple in the kitchen. The baby was asleep, steak for dinner and the car in the garage. An ordinary couple. The man was out working every day and the wife was at home looking after the house. The man started reading the newspaper and the woman was annoyed because she was bored. She thought he liked the paper more than her! She said she had taken part in a survey that was in the paper that claimed a lot of women were unhappy in their marriage. She said a stranger came to the door ten months ago doing a survey and offered the job to the wife because she was expecting a baby. The woman accepted the offer because she wanted to buy an oven.

The man was angry because she had told her her personal business. The stranger was telling lies and the wife didn't believe her, but she enjoyed her. She was angry and bored that morning. She was sick of the usual routine day after day.

She was a housewife and was extremely tired. She did the same thing day after day. She wasn't able to talk to her husband. She was frustrated with him. She was angry also, as the stranger told her lies!

SUMMARY

Finish

Ceist a trí: Carachtair

- Seán (fear céile)
- An bhean chéile mhíshona (*The unhappy wife*)
- An strainséir bréagach (*The lying stranger*)

Seán: ciúin/*quiet*, easpa tuisceana/*lack of understanding*, caite amach/*burnt-out*, leithleach/*selfish*

An bhean chéile: leadrán an tsaoil/*bored with life*, feargach/*angry*, bréan den saol/*sick of life*, uaigneach/ *lonely*

Strainséir: bréagadóir/*liar*, mímhacánta/*dishonest*, taitneamhach/*enjoyable*

Cén carachtar is fearr leat? Cén fáth? Cén carachtar nach maith leat? Cén fáth?

Is duine **caite amach** í an bhean chéile, tá **leadrán an tsaoil** uirthi mar déanann sí an rud céanna lá i ndiaidh lae. Déanann sí obair tí agus tugann sí aire don leanbh. Níl a fear céile sásta labhairt léi. Tá sí míshona ina saol leadránach.

The wife is burnt out, she is bored with life because she does the same thing day after day. She does the housework and looks after the baby. Her husband isn't prepared to talk to her. She is unhappy in her boring life.

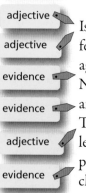

Is duine **ciúin** agus **amaideach** é an fear céile. Tá bean chéile dheas aige agus ní thugann sé aon aird uirthi. Nuair a thagann sé abhaile, léann sé an páipéar agus ní labhraíonn sé léi. Tá **tuirse** air tar éis lá oibre. Is breá leis a chosa a chur suas agus an páipéar a léamh. Titeann sé ina chodladh ag deireadh an scéil.

The husband is a quiet and foolish man. He has a nice wife and he gives her no attention. When he comes home, he reads the paper and doesn't speak to her. He is tired after a day's work. He prefers to put his feet up and read the paper. He falls asleep at the end of the story.

Ceist a ceathair: An maith leat an scéal? Cén fáth?

Thaitin an gearrscéal 'Dís' le Siobhán Ní Shúilleabháin go mór liom. Bhí sé an-réadúil agus greannmhar (*realistic and funny*).

Bhí sé greannmhar nuair a bhí an lánúin ag argóint sa chistin agus thuig mé bean an tí. Bhí sí sa bhaile gach lá ag déanamh an rud céanna agus ag caint léi féin mar bhí sí ina haonar lá i ndiaidh lae. Bhí an fear amach ag obair an mhaidin sin nuair a tháinig an strainséir. Bhí áthas ar an mbean chéile mar bhí sí ag caint léi. Bhí sé greannmhar nuair a d'inis an strainséir bréige di ach bhí a fhios ag an mbean gur bhréagadóir a bhí inti.

Bhí an téama suimiúil agus ceapaim go mbeidh rudaí níos fearr eatarthu ag an deireadh. Bhí an fear céile greannmhar mar bhí sé crosta léi agus nuair a thiteann sé ina chodladh. Ní raibh leadrán orthu an tráthnóna sin!

I greatly enjoyed the short story 'The Pair' by Siobhán Ní Shúilleabháin.

The couple arguing in the kitchen was funny and I understood the housewife. She was at home every day doing the same thing and talking to herself because she was alone day after day. The man was out working the morning the stranger came. The wife was happy because she was talking to her. It was funny when the stranger told her lies but the wife knew she was a liar.

The theme was interesting and I think things will be better between them at the end. The husband was funny because he was cross with her and when he falls asleep. They weren't bored that afternoon!

Gearrscannán/*Short film* – Cáca milis/*Sweet cake*

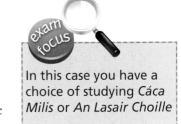

exam focus

In this case you have a choice of studying *Cáca Milis* or *An Lasair Choille*

Brief English summary:

One day, a blind man with a walking stick gets onto the train. He sits beside a young woman who is reading her book. He starts chatting to her and takes out his inhaler. She is annoyed and wants to read in silence. He is guessing where they are in the journey and she lies to him about what is outside. He gets very anxious and grabs his inhaler. An attendant comes over and serves him coffee, the woman doesn't offer to help with the sugar. He has a bun and the woman tells him there is a worm in his bun and that he has swallowed half of it. He becomes more anxious and she gets off the train. The blind man dies that day on the train.

Ceist a haon: Achoimre/*Summary*

Lá amháin, chuaigh **fear dall** isteach sa traein. Bhí sé ag dul ar saoire agus bhí an turas ar eolas aige. Shuigh sé síos lena bhata in aice le bean. Thosaigh sé ag caint léi ach ní raibh sí sásta labhairt leis; b'fhearr léi a leabhar a léamh go ciúin. Bhí **asma** go dona aige. Thóg sé **análóir** amach mar bhí sé **ag análú** go trom. Bhí sé ag lorg cupán caife agus cheannaigh sé caife ón bhfreastalaí. Bhí cáca aige. **Níor chabhraigh an bhean leis** an mála siúcra a oscailt. Dúirt sí leis go raibh **péist mhór mhillteach** sa cháca milis. Bhí sí ag cur isteach air. D'éirigh sé buartha agus **corraithe**. Thosaigh sé ag análú go trom arís. D'imigh an bhean ag an gcéad stáisiún eile. Bhí an fear bocht fágtha ina aonar agus ag éirí níos measa. Bhí líonrith air. Faoi dheireadh, fuair sé **ruaig asma** agus fuair an créatúr bocht bás.

One day, a blind man got on the train. He was going on holidays and he knew the journey off by heart. He sat down with his stick beside a woman. He started talking to her but she wasn't willing to speak to him; she preferred to read her book quietly. He had bad asthma. He took out his inhaler and inhaled deeply. He wanted a coffee and he bought a coffee from the attendant. He had a bun. The woman didn't help him to open the sugar bag. She said there was an enormous worm in the sweet cake. She was annoying him. He became worried and excited. He started inhaling heavily again. The woman left at the next station. The poor man was left alone and getting worse. He was panicked. Finally, he had an asthma attack and the poor man died.

Gluais

fear dall: *blind man*
asma: *asthma*
análóir: *inhaler*
ag análú: *breathing*
níor chabhraigh an bhean leis: *the woman did not help him*

péist mhór mhillteach: *a big horrible worm*
corraithe: *excited*
ruaig asma: *asthma attack*

Ceist a do Téamaí/*Themes*

A theme is a central subject of a story. In this case the themes are:

fuath: *hatred*

cruálacht: *cruelty*

bás: *death*

gliceas: *slyness*

leithleachas: *selfishness*

tinneas: *sickness*

fearg: *anger*

You should be able to adapt various themes to various stories.

This story is a short film; why not state this at the start of your answer? Is gearrscannán é.

Téama 1:
Cruálacht/*Cruelty*

Here is a sample of a good theme answer: use for all theme answers but change your theme choice!

SAMPLE ANSWER

name of story / **theme**

Sa gearrscannán seo **'Cáca Milis'**, tá **cruálacht** le feiceáil.

In this short film 'Cáca Milis', cruelty is to be seen.

Lá amháin, chuaigh fear faoi mhíchumas isteach sa traein. Shuigh sé síos in aice le bean a bhí ag léamh a leabhair go ciúin. Thosaigh sé ag caint léi agus ní raibh suim aici ann. Bhí an turas ar eolas aige agus bhí comhrá beag ag teastáil uaidh.

One day, a man with a disability got on the train. He sat beside a woman who was reading her book quietly. He started talking to her and she had no interest in him. He knew the journey off by heart and he wanted a little chat.

theme / **theme** / **theme**

Chaith sí **go dona** leis. Ba dhuine **cruálach** í. Ní raibh an fear dainséarach, bhí sé cairdiúil. Bhí an fear bocht dall agus ina aonar. **Níor chabhraigh sí leis** nuair a bhí deacrachtaí aige leis an siúcra; lean sí ar aghaidh lena leabhar. Freisin, thosaigh sí ag rá leis go raibh péist mhór mhillteach ina cháca. Bhí sé ag éirí buartha agus bhí asma go dona aige. Nuair a d'fhág sí an traein, bhí ruaig asma ag an bhfear bocht agus fuair sé bás.

She treated him badly. She was a cruel person. The man wasn't dangerous, he was friendly. The poor man was blind and alone. She didn't help him when he had difficulties with the bag of sugar; she continued with her book. Also, she started saying that there was an enormous worm in his cake. He was becoming worried and his asthma was bad. When she left the train, he had an asthma attack and died.

theme

Tá an téama le feiceáil go soiléir anseo. Bhí **cruálacht** le feiceáil an lá sin ar an traein nuair a bhí comhrá ag teastáil ón bhfear dall bocht.

The theme is to be seen clearly here. Cruelty was to be seen that day on the train when the poor blind man only wanted a chat.

S U M M A R Y

Finish

Téama 2:
Tinneas/*Sickness*

SAMPLE ANSWER

name of story

Sa gearrscannán seo '**Cáca Milis**', tá **tinneas** le feiceáil.

Lá amháin, chuaigh fear faoi **mhíchumas** isteach sa traein. Bhí an fear bocht **dall** agus ina aonar. Bhí bata aige ach bhí comhrá agus cabhair ag teastáil uaidh. Shuigh sé in aice le bean leithleach. Bhí an bhean sin ag léamh a leabhair agus ní raibh comhrá ag teastáil uaithi. Chuir sé isteach uirthi mar bhí an turas ar eolas aige agus luaigh sé gach áit ina raibh an traein. Dúirt sí nach raibh an traein san áit a luaigh an fear. Bhí líonrith ar an bhfear. Chaith sí go dona leis. Bhí asma air. Thóg sé a **análóir** amach agus bhí **deacracht** aige ag análú. Chuir sí isteach air arís nuair a dúirt sí leis go raibh péist mhór mhillteach sa cháca a bhí aige. Bhí an fear faoi **mhíchumas** ar crith le heagla agus chreid sé í. Ag an gcéad stáisiún eile, d'fhág an bhean an traein agus bhí **ruaig asma** ag an bhfear bocht. **Fuair sé bás**.

Tá an téama le feiceáil go soiléir anseo. Bhí **tinneas** ar an bhfear bocht ach ní raibh an bhean sásta cuidiú leis. Bhí sí chomh cruálach sin leis an bhfear dall bocht.

theme

S U M M A R Y

In this short film 'Cáca Milis', sickness is to be seen.

One day, a man with a disability got on the train. The poor man was blind and on his own. He had his stick but he wanted a chat and help. He sat beside a selfish woman. That woman was reading her book and didn't want a chat. He annoyed her because he knew the journey off by heart and he anounced each place the train came to. She said that the train was not in the place the man mentioned. The man was panicked. She treated him badly. He had asthma. He took out his inhaler and he had difficulty breathing. She annoyed him again when she said that there was an enormous worm in his cake. The disabled man was shaking with fear and he believed her. At the next station, the woman left the train and the poor man had an asthma attack. He died.

The theme is to be seen clearly here. The poor man was sick and the woman wasn't willing to help him. She was that cruel to the poor blind man.

Finish

Ceist a trí: Carachtair

- An fear dall a raibh asma air (*blind man with asthma*)
- An bhean leithleach(*selfish woman*)
- **An bhean leithleach**: ciúin/*quiet*, easpa tuisceana/*lack of understanding*, leithleach/*selfish*, cruálach/*cruel*, ciontach/ *guilty*, uafásach/*terrible*, bréagadóir/*liar*, mímhacánta/ *dishonest*
- **An fear dall**: cairdiúil/*friendly*, cainteach/*talkative*, uaigneach/*lonely*, tinn/*sick*, ag streachailt/*struggling*, neamhurchóideach/*innocent*

Cén carachtar is fearr leat? Cén fáth? Cén carachtar nach maith leat? Cén fáth?

An bhean leithleach:

 adjective

 evidence

 evidence

 evidence

Is fuath liom an bhean ar an traein. Is duine **mímhacánta** í an bhean, chuir sí dallamullóg air. Dúirt sí leis go raibh an traein san áit mhícheart chun chur isteach air. Ba bhreá léi a bheith ag léamh go ciúin ar an traein. Freisin, nuair a d'ith an fear an cáca milis a bhí aige, dúirt sí leis go raibh péist mhór mhillteach ann. Bhí sí ag insint bréige dó. Ag an deireadh, fuair sé bás mar bhí trom asma air mar gheall uirthi.

I hate the woman on the train. The woman is dishonest, she tricked him. She told him that the train was at the incorrect place to annoy him. She loved to read quietly on the train. Also when the man ate the cake he had, she said to him that there was an enormous worm in it. She was lying to him. At the end, he died of an asthma attack because of her.

An fear dall:

adjective

evidence

evidence

Is duine deas, tinn, cainteach é. Chuaigh sé isteach sa traein sé agus bhí comhrá ag teastáil uaidh. Shuigh sé in aice le bean uafásach agus chuir sé isteach uirthi. Bhí sé ag caint léi agus bhí sé dall. Bhí sé ag ithe agus bhí radharc a bhéil ag cur isteach uirthi. Níor thuig siad a chéile. Bhí asma air agus d'úsáid sé a análóir go minic. Nuair a luaigh sí an phéist mhór sa cháca, tháinig ruaig asma dhona air agus fuair an créatúr bocht bás.

He's a nice, sick, talkative man. He got on the train and he wanted a chat. He sat beside a terrible woman and he annoyed her. He was talking to her and he was blind. He was eating and the sight of his mouth annoyed her. They didn't understand each other. He had asthma and he used an inhaler often. When she mentioned the big worm in the cake, he had a bad asthma attack and the poor man died.

Ceist a ceathair: An maith leat an scannán? Cén fáth?

Thaitin an gearrscannán 'Cáca Milis' go mór liom. Bhí sé an-réadúil agus éifeachtach.

Bhí na carachtair an-réadúil mar i mo thuairim tarlaíonn rudaí mar seo go minic i ngach áit. Bhí an scannán an-suimiúil agus bhí an téama éifeachtach — cheap mé go raibh tinneas, daoine leithleacha agus easpa tuisceana le feiceáil go soiléir. D'oscail an gearrscannán mo shúile. Ní thuigeann daoine a chéile sa lá atá inniu ann. Níor thuig an bhean go raibh an fear gan dochar agus go raibh comhrá ag teastáil uaidh. Bhí fadhbanna tinnis aige agus níor thug sí aon chabhair dó, d'inis sí bréaga dó agus bhí sé i ndrochshlí. Bhí sí ciontach ag an deireadh mar fuair sé bás leis an ruaig asma a bhí aige. Bhí an locht uirthi.

I enjoyed the short film 'Sweet Cake'. It was very realistic and effective.

The characters were very realistic and in my opinion these things happen often everywhere. The film was interesting and the theme was effective — I thought that illness, selfish people and lack of understanding were clearly seen. The film opened my eyes. People don't understand each other these days. The woman didn't understand that the man was harmless and that he wanted a chat. He had health problems and she didn't give him any help, she told him lies and he was in a bad way. She was guilty at the end because he died of the asthma attack he had. It was her fault.

Dráma: An Lasair Choille/The Goldfinch le Maude Ó hAirtnéide

Brief English summary:

exam focus

In this case you have a choice of studying *Cáca Milis* or *An Lasair Choille*

One day, Micil (old man) and Séamus (25 year old) are in their house. Séamus was talking to the bird they owned. Micil and Séamus had savings. They planned on buying a donkey-cart. Micil worried about the money, Séamus worried about Micil. Séamus wanted to go to England. A stranger came to the door, Míoda was her name. She was apparently fleeing from her father, the Earl of Connacht. She tried to persuade Séamus to go with her but Micil tried to dissuade him. In the end, Míoda's father comes and says she's a tinker. Míoda had been fooling Séamus. Séamus realised that life was too short and that he should live life to the full. He sets the bird free.

Ceist a haon: Achoimre/*Summary*

Bhí Séamus agus Micil ina gcónaí le chéile. Bhí Séamus ag tabhairt aire do Mhicil. Bhí Micil ina sheanfhear agus bhí Séamus in óg.

Bhí Micil an-bhuartha an t-am ar fad faoin airgead a bhí acu. Bhí Séamus buartha faoi shláinte Mhicil. Bhí lasair choille acu, a bhí sa chás. Bhí **fonn** ar Shéamus Éire a fhágáil agus dul go Sasana chun tír nua a fheiceáil. Dúirt Micil gurbh amadán é. Bhí **brionglóidí** ag Séamus agus níor thuig Micil é.

Ansin, tháinig cailín chuig an doras. Míoda ab ainm di. B'iníon Iarla Chonnacht í. Bhí sí ag teitheadh agus ag lorg leapa. Bhí **saoirse ag teastáil uaithi.**

Thuig Séamus a cás. Bhí a fhios ag Micil go raibh sí **ag cur dallamullóg air. Ní raibh muinín aige aisti**. Dúirt Séamus go raibh sé sásta an teach a fhágáil agus imeacht léi. Bhí Séamus bréan den saol seo. Bhí Micil buartha.

Faoi dheireadh, tháinig athair Mhíoda agus dúirt sé leo gur bhréagadóir a bhí inti! Ba thincéir í!

Chuir Míoda dallamullóg ar Shéamus ach d'oscail sí a shúile freisin. Scaoil sé an t-éan as a chás. Cinnte, beidh saoirse aige go luath freisin!

Micil and Séamus lived together. Séamus was looking after Micil. Micil was an old man and Séamus was a young man.

Micil was very worried the whole time about the money they had. Séamus was worried about Micil's health. They had a goldfinch, kept in a cage. Séamus wanted to leave Ireland and go to England to see a new country. Micil said he was a fool. Séamus had dreams and Micil didn't understand him.

Then, a girl came to the door. Míoda was her name. She was the daughter of the Earl of Connacht. She was fleeing and seeking a bed. She wanted to be free.

Séamus understood her situation. Micil knew that she was pulling the wool over his eyes. He did not trust her. Séamus said he was willing to leave the house and go with her. Séamus was sick of this life. Micil was worried.

Finally, Míoda's father came and told them that she was a liar! She was a traveller!

Míoda had fooled Séamus but she had opened his eyes as well. He released the bird from the cage. Definitely, he will be free soon as well!

Gluais

fonn: *desire*	ag cur dallamullóg air: *fooling him*
brionglóidí: *dreams*	ní raibh muinín aige aisti: *he didn't trust her*
bhí saoirse ag teastáil uaithi: *she wanted freedom*	

Ceist a dó: Téamaí/*themes*

A theme is a central subject of a story. In this case the themes are:

saoirse: *freedom*
géibheann: *captivity*
saint: *greed*
gliceas: *slyness*
leithleachas: *selfishness*
tinneas: *sickness*
fearg: *anger*

Here you should be able to adapt various themes to different stories.

Téama 1:
Saoirse/*Freedom*

Here is a sample of a good theme answer: use for all theme answers but change your theme choice!

SAMPLE ANSWER

name of story

author

theme

Sa dráma seo '**An Lasair Choille**' le **Caitlín Maude** agus **Mícheál Ó hAirtnéide** tá **saoirse** le feiceáil.

Lá amháin, bhí Séamus agus Micil le chéile sa teach. Bhí airgead acu agus bhí Séamus ag tabhairt aire do Mhicil. Bhí Micil róshean chun rudaí a dhéanamh ina aonar. Chabhraigh Séamus leis. Bhí Séamus ina óige agus bhí fonn air dul go Sasana. Go tobann, bhí cnag ar an doras. Strainséir darbh ainm Míoda a bhí ann. Tháinig sí isteach agus bhí sí ag insint bréag dó. Dúirt sí gurbh iníon Iarla Chonnacht í. Bhí **saoirse** ag teastáil uaithi. Bhí sí ag lorg leapa agus bhí sí bréan dá saol. Thuig Séamus a cás agus dúirt sé go raibh **saoirse** ag teastáil uaidh freisin agus go raibh sé bréan den saol fosta. Ba mhaith leo dul go Sasana leis an airgead a bhí ag Micil.

theme

theme

S U M M A R Y

In this drama, 'The Goldfinch' by Caitlín Maude and Mícheál Ó hAirtnéide, freedom is to be seen.
One day, Séamus and Micil were together in the house. They had money and Séamus was looking after Micil. Micil was too old to do things by himself. Séamus helped him. Séamus was in his youth and wanted to go to England. Suddenly, there was a knock on the door. It was a stranger named Míoda. She came in and she was telling him lies. She said she was the Earl of Connacht's daughter. She wanted freedom. She was looking for a bed and she was sick of life. Séamus understood her case and he said he wanted freedom as well and that he was sick of life too. They wanted to go to England with the money that Micil had.

SAMPLE ANSWER *contd*.

Faoi dheireadh, tháinig athair Mhíoda chuig an doras agus tincéir a bhí ann! Bhí Míoda ag insint bréige agus chuir sí dallamúllóg air. D'imigh siad le chéile agus bhí Séamus fágtha le Micil.

Finally, Míoda's father came to the door and he was a traveller! Míoda had been telling lies and she pulled the wool over his eyes! They left together and Séamus was left with Micil.

theme ▶ Bhí **saoirse** fós ag teastáil uaidh. An lá sin, lig sé saor an t-éan a bhí

theme ▶ **i ngéibheann** sa chás sa chistin.

He still wanted freedom. That day, he let the bird that was in the cage go free.

Finish

Téama 2:
Gliceas/*Slyness*

SAMPLE ANSWER

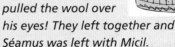

ame of story ▶ Sa dráma seo **'An Lasair Choille'** le **Caitlín Maude** agus **Mícheál**

author ▶ **Ó hAirtnéide** á **gliceas** le

theme ▶ feiceáil.

In this drama, 'The Goldfinch' by Caitlín Maude and Mícheál Ó hAirtnéide, slyness is to be seen.

Lá amháin, bhí Séamus agus Micil le chéile sa teach. Bhí airgead acu agus bhí Séamus ag tabhairt aire do Mhicil. Bhí Micil róshean chun rudaí a dhéanamh ina aonar. Chabhraigh Séamus leis. Bhí Séamus ina óige agus bhí fonn air dul go Sasana. Go tobann, bhí cnag ar an doras. Strainséir darbh ainm Míoda a bhí ann. Tháinig sí isteach agus bhí sí ag insint bréag

theme ▶ dó. Ba dhuine **glic** í. Dúirt sí gurbh iníon Iarla Chonnacht í. Bhí saoirse ag teastáil uaithi. Bhí sí ag lorg leapa agus bhí sí bréan dá saol. Thuig Séamus a cás agus dúirt sé go raibh saoirse ag teastáil uaidh freisin agus go raibh sé bréan den saol fosta. Ba mhaith leo dul go Sasana leis an airgead a bhí ag Micil.

One day, Séamus and Micil were together in the house. They had money and Séamus was looking after Micil. Micil was too old to do things by himself. Séamus helped him. Séamus was in his youth and wanted to go to England. Suddenly, there was a knock on the door. It was a stranger named Míoda. She came in and she was telling him lies. She was a sly person. She said she was the Earl of Connacht's daughter. She wanted freedom. She was looking for a bed and she was sick of life.

Séamus understood her case and he said he wanted freedom as well and that he was sick of life too. They wanted to go to England with the money that Micil had.

S
U
M
M
A
R
Y

SAMPLE ANSWER *contd*.

Faoi dheireadh, tháinig athair Mhíoda chuig an doras agus tincéir a bhí ann! Bhí Míoda ag insint bréige agus chuir sé dallamúllóg air. D'imigh siad le chéile agus bhí Séamus fágtha le Micil.	Finally, Míoda's father came to the door and he was a tinker! Míoda had been telling lies and she pulled the wool over his eyes! They left together and Séamus was left with Micil.

theme

theme

theme

Bhí **gliceas** le feiceáil go soiléir sa dráma. Ba dhuine **glic** í an cailín, gan dabht, ach níor éirigh lena **gliceas** sa deireadh.	Slyness could clearly be seen in the play. The girl was a sly person without a doubt, but her slyness didn't succeed in the end.	Finish

Ceist a trí: Carachtair

- **An strainséir** (Míoda): glic/*sly*, cliste/*clever*, bréagadóir/ *liar*
- **Séamus** (ógfhear): amaideach/*foolish*, dúr/*silly*, soineanta/*innocent*
- **Micil**: cliste/*clever*, ciallmhar/*sensible*, crosta/*cross*

Cén carachtar is fearr leat? Cén fáth? Cén carachtar nach maith leat? Cén fáth?

adjective

evidence

evidence

Is fuath liom **an strainséir**. Míoda is ainm di. Is **bréagadóir** í an bhean. Chuir sí dallamullóg air nuair a dúirt sí gurbh iníon an Iarla í. Ba thincéir í! Bhí sí ag iarraidh a chuid airgid a fháil! Chreid Séamus a scéal go raibh saoirse ag teastáil uaithi agus go raibh sí bréan den saol. D'oscail sí súile Shéamuis.	*I hate the stranger. Her name is Míoda. The woman is a liar. She fooled him when she said she was the daughter of the Earl. She was a tinker! She was trying to get his money! Séamus believed her story that she wanted freedom and that she was sick of life. She opened Séamus' eyes.*

adjective

evidence

evidence

Is aoibhinn liom **Micil**. Is fear **cliste** é. Thuig sé go díreach gur bhréagadóir a bhí inti an lá sin. Níor chreid sé a scéal. Bhí sé buartha faoi Shéamus bocht! Bhí sé ina sheanfhear. Thug Séamus aire dó. Bhí cabhair ag teastáil uaidh. Bhí sé sásta nuair a bhailigh an fear a iníon!

I love Micil. He is a clever man. He knew immediately she was a liar that day. He didn't believe her story. He was worried about poor Séamus! He was an old man. Séamus looked after him. He needed help. He was happy when the man collected his daughter!

Ceist a ceathair: An maith leat an dráma? Cén fáth?

Thaitin an dráma 'An Lasair Choille' go mór liom. Bhí sé an-réadúil agus éifeachtach.

Bhí na carachtair an-ghreannmhar agus bhí an teachtaireacht éifeachtach — bhí saoirse ag teastáil uathu. Bhí an cailín sin ag tnúth le saol nua. D'éalaigh sí on ngnáthshaol. Bhí saoirse ag teastáil ó Shéamus. Bhí fonn taistil air. Ag an deireadh, d'oscail an chuairt sin súile Shéamuis. Bhí sé cinnte go rachadh sé go Sasana. Bhí an íomha den éan ag eitilt agus saor ag an deireadh deas. Bhí saoirse ag teastáil ón éan freisin.

Bhí an chríoch sásúil freisin mar bhí gach duine sásta, ach amháin Micil!

I enjoyed the play 'The Goldfinch' very much. It was very realistic and effective.

The characters were very funny and the message was effective — they wanted freedom. That girl was hoping for a new life. She had escaped from normal life. Séamus wanted freedom. He had a desire to travel. At the end, the visit opened Séamus' eyes. He was sure he would go to England. The image of the bird flying and free at the end was nice. The bird wanted freedom as well.

The ending was satisfying also because everyone was happy, except Micil!

'Hurlamaboc' nó 'Fiche bliain faoi bhláth'/*Twenty years in bloom* le hÉilís Ní Dhuibhne

This is more a description of a family than a story!

Brief English summary:

It was Lísín and Paul's 20th wedding anniversary. There was a party on to celebrate it. Lísín was happily married, well-groomed and well-educated. When she met Paul he was poor and unestablished. He invested in stocks and became wealthy. He also became a lecturer. Lísín wanted for nothing, she had two sons who were 18 and 13 — Ruán and Cuán. Lísín took great value from appearance and material things. They lived on Ash Avenue and all the neighbours took huge pride in unimportant things. Lísín attended various courses to remain well-learned as she didn't need to work.

Ceist a haon: Achoimre/*Summary*

Bhí Pól agus Lísín ag ceiliúradh fiche bliain pósta. Bhí cóisir ar siúl chun é a cheiliúradh. Bhí Pól ina léachtóir agus ní raibh Lísín ag obair. Bhí a lán airgid ag an gclann mar chuir Pól airgead sna stocmhargaí. Chuir sí brú air chun a shaol a athrú agus ansin d'athraigh sé a shaol. Bhí beirt pháistí acu — Ruán agus Cuán. Ní raibh siad ar bís faoin gcóisir.

Bhí cuma álainn ar Lísín i gcónaí agus bhí sí néata, galánta agus foirfe. Cheap sí go raibh cuma an duine an-tábhachtach. Bhí a teach an-ghalánta agus chaith sí a lán ama ar an teach. Rinne sí cúrsaí go minic — teangacha chun a bheith gnóthach i gcónaí. Bhí comharsa aici agus cuma mhínéata uirthi. Níor thuig Lísín a cás. Cheap sí go raibh sí níos fearr ná gach duine eile.

Paul and Lísín were celebrating 20 years married. There was a party on to celebrate. Paul was a lecturer and Lísín didn't work. The family had a lot of money because Paul put money into the stockmarkets. She had put pressure on him to change his life and then he changed. They had two children – Ruán and Cuán. They were not excited about the party.

Lísín looked lovely always and she was tidy, stylish and perfect. She thought a person's appearance was very important. Her house was very fancy and she spent a lot of time on the house. She did courses often – languages to keep busy always. She had a neighbour who had an unkept appearance. Lísín didn't understand her situation. She thought she was better than everyone else.

Ceist a dó: Téamaí/*Themes*

A theme is a central subject of a story. In this case the themes are:

foirfeacht: *perfection*
cuma: *appearance*
ardnós: *snobbery*
athrú: *change*
leithleachas: *selfishness*
formad: *envy*

You should be able to adapt various themes to various stories.

Téama 1:
Foirfeacht/*Perfection*

Here is a sample of a good theme answer: use for all theme answers but change your theme choice!

SAMPLE ANSWER

name of story
author
theme

Sa sliocht seo ó '**Hurlamaboc**' le h**Éilís Ní Dhuibhne** tá **foirfeacht** le feiceáil.

Tá Lísín agus Pól pósta le fiche bliain. Tá féasta ar siúl ag ceilúradh a bpósta. Tá beirt mhac acu — Cuán agus Ruán. Níl Ruán agus Cuán róshásta faoin gcóisir. Ceapann siad go mbeidh sé seafóideach! Tá an teaghlach ina gcónaí in áit ghalánta agus tá Lísín an-bhródúil as an áit sin. Ceapann sí go bhfuil sí níos fearr mar dhuine mar go gcónaíonn sí ann! Bíonn cuma **fhoirfe** uirthi i gcónaí. Caitheann sí gúnaí áille an t-am ar fad agus caitheann sí smideadh gach lá.

theme

Tá saol **foirfe** aici. Ní oibríonn sí. Fanann sí sa bhaile gach lá ag déanamh rudaí timpeall an tí agus ag tabhairt aire don ghairdín. Déanann sí ranganna teangacha chun a lá a líonadh suas. Tá a lán airgid acu. Tá a fear céile ag obair mar léachtóir san ollscoil agus tá siad go maith as. Tá tuairimí an phobail an-tábhachtách di.

Tá cuma an-tábhachtach di. Níl Lísín sásta go bhfuil bean ina cónaí ar an mbóthar céanna agus ní chuireann a cuma isteach uirthi.

theme

Cinnte, tá a **foirfeacht** an-tábhachtach di agus is príomhthéama é sa sliocht seo.

In this extract from 'Hurlamaboc' by Éilís Ní Dhuibhne, perfection is to be seen.

Lísín and Paul have been married for 20 years. There is a party on to celebrate their marriage. They have 2 sons — Cuán and Ruán. Ruán and Cuán aren't too happy about the party. They think it will be rubbish! The family lives in a fancy place and Lísín is very proud of the place. She thinks that she is better as a person because she lives there. She always looks perfect. She wears lovely dresses the whole time and she wears make-up everyday.

She has a perfect life. She doesn't work. She stays at home every day doing things around the house and taking care of the garden. She does language classes to fill up her day. They have a lot of money. Her husband works as a lecturer in a university and they are well off. The public's opinion is very important to her.

Appearance is important to her. Lísín isn't happy that a woman lives on the same road and her appearance doesn't bother her.

Definitely, her perfection is very important to her and is the main theme in this extract.

S
U
M
M
A
R
Y

Finish

Téama 2:
Formad/*Envy*

SAMPLE ANSWER

name of story ▶

author ▶

theme ▶

theme ▶

theme ▶

theme ▶

theme ▶

Sa sliocht seo ó '**Hurlamaboc**' le hÉilís Ní Dhuibhne, tá **formad** le feiceáil.

Níl **formad** an-soiléir sa sliocht seo ach tá sé le feiceáil in áiteanna. Tá Lísín pósta le fear saibhir tábhachtach. Tá a lán airgid acu. Bíonn cuma ghalánta fhoirfe uirthi i gcónaí. Tá a cairde foirfe freisin. Níl post aici, déanann sí cúrsaí chun a bheith gnóthach. Tá saol breá bog aici. Bíonn smideadh agus gúna deas uirthi i gcónaí. Fós, áfach, tá fadhb aici le comharsa — Eibhlín. Tá gruaig dhubh ar Eibhlín agus ní dhéanann sí iarracht cuma a chur uirthi féin. B'fhéidir go bhfuil **formad** ag Lísín léi mar tá an bhean eile an-chompordach ina craiceann féin. Ní mhothaíonn sí go bhfuil gúnaí deasa ag teastáil uaithi. Ní thuigeann Lísín an fáth a bhfuil an bhean ina cónaí ar an mbóthar céanna léi. Tá Lísín néata, faiseanta agus ardnósach. Bíonn sí ag déanamh cúrsaí chun a bheith ábalta aon ábhar faoin spéir a phlé. Ceapaim nach bhfuil suim mhór aici iontu ach gur mhaith léi a bheith cliste agus léannta chun **formad** a chur ar a cairde. Ceapann sí go bhfuil sí níos fearr ná mná eile na háite.

Tá a lán de smaointe agus de thuairimí Lísín bunaithe ar an **bhformad**. Níl sé soiléir ón tús agus caithfidh an léitheoir obair a dhéanamh leis an teachtaireacht a aimsiú.

In this extract from 'Hurlamaboc' by Éilís Ní Dhuibhne, envy can be seen.

Envy is not too clear in this extract but it can be seen in places. Lísín is married to a rich, important man. They have a lot of money. She always looks elegant and perfect. Her friends are perfect too. She has no job, she does courses to keep busy. She has a soft, grand life. She always has a nice dress and make-up on. Still, however, she has a problem with a neighbour — Eibhlín. Eibhlín has black hair and makes no effort in her own appearance. Maybe Lísín is envious of her because the other woman is very comfortable in her own skin. She doesn't feel she needs nice dresses. Lísín doesn't understand why this woman is living on the same road as her. Lísín is neat, fashionable and snobby. She is doing courses to be able to discuss any subject under the sun. I think she doesn't have a big interest in them but she would like to be clever and educated to make her friends envious. She thinks she is better than the women of the place.

A lot of Lísín's thoughts and opinions are based on envy. This is not clear from the start and the reader has to work to get the message.

S
U
M
M
A
R
Y

Finish

Ceist a trí: Carachtair

- **Lísín**: ardnósach/*snobby*, fionn/*blonde*, tanaí/*thin*, foirfe/*perfect*, bródúil/*proud*, dathúil/*good-looking*, saibhir/*rich*, gnóthach/*busy*

- **Pól**: pósta/*married*, léachtóir/*lecturer*, saibhir/*rich*, tuirseach/*tired*, cliste/*clever*, ciúin/*quiet*

Cén carachtar is fearr leat? Cén fáth? Cén carachtar nach maith leat? Cén fáth?

Lísín:

adjective → Is fuath liom Lísín. Is bean tí
adjective → **fhoirfe** í. Ní dhéanann sí a lán agus níl post aici. Tá sí mór aisti féin.
evidence → Bíonn a cuma foirfe i gcónaí. Tá sí **an-bhródúil** as a háit chónaithe
adjective → agus as a clann. Déanann sí cúrsaí chun a bheith gnóthach. Is fuath léi a comharsa Eibhlín. Ní chuireann
evidence → cuma Eibhlín isteach ar Eibhlín. Ceapann Lísín go bhfuil sí níos
adjective → fearr ná gach duine eile. Ceapann sí
adjective → go bhfuil sí cliste mar tá sí ábalta aon ábhar a phlé.
evidence →

I hate Lísín. She is a perfect housewife. She doesn't do a lot and has no job. She thinks a lot of herself. Her appearance is always perfect. She is very proud of her home and family. She does courses to keep busy. She hates her neighbour Eibhlín. Eibhlín's appearance doesn't bother Eibhlín. Lísín thinks she is better than everyone else. She thinks she is clever because she is able to discuss any subject.

Pól:

adjective → Is maith liom Pól. Mothaím **trua**
dó. Tá sé amuigh ag obair gach lá fad is atá Lísín ag cur smididh
evidence → uirthi féin! Tráth dá raibh ní raibh pingin rua aige. Bhí sé ag obair i siopa nuair a bhuail Lísín leis. Ach d'athraigh sí rudaí. Cheannaigh sé scaireanna agus fuair sé a lán airgid. Tá sé ina léachtóir anois. Glacann sé le horduithe uaithi!

I like Paul. I feel sorry for him. He is out working every day while Lísín is putting make-up on! At one time, he didn't have a penny. He was working in a shop when he met Lísín. But she changed things. He bought shares and got a lot of money. He is a lecturer now. He takes orders from her!

Ceist a ceathair: An maith leat an sliocht seo? Cén fáth?

Thaitin an sliocht ó 'Hurlamaboc' go mór liom. Bhí sé an-réadúil agus éifeachtach.

Bhí an príomhcharachtar Lísín greannmhar agus réadúil. Ceapaim go bhfuil a lán ban cosúil léi in Éirinn. Tá a cuma an-tábhachtach di agus tá teach mór galánta néata aici. Níl na rudaí sin tábhachtach dom. B'fhearr liom sláinte agus sonas. Tá áthas orm féin i mo theach beag faoin tuath! Níl post aici agus ceapaim go bhfuil leadrán uirthi. Níl aon rud le déanamh aici ach smideadh a chur ar a haghaidh agus gúnaí deasa a chaitheamh. Déanann sí cúrsaí chun a bheith gnóthach. Tuilleann a fear céile an t-airgead go léir. Is bocht an scéal é. Tá íomha na mban an-éifeachtach agus tuigim scéal na mná eile, Eibhlin! Níl do chuid gruaige tábhachtach, níl d'éadaí tábhachtach, níl do ghairdín tábhachtach! Tá do chlann agus do shláinte tábhachtach. Cuireann daoine a lán béime ar rudaí amaideacha! Tá an sliocht seo an-éifeachtach agus cosúil le *Desperate Housewives*!

I enjoyed the extract from 'Hurlamaboc'a lot. It was very realistic and effective.

The main character Lísín was funny and realistic. I think there are a a lot of women like her in Ireland. Her appearance is very important to her and she has a big fancy house. Those things are not important to me. I'd prefer my health and happiness. I am happy in my little house in the country. She has no job and I think she is bored. She has nothing to do but put make-up on her face and wear nice dresses. She does courses to keep busy. Her husband earns all the money. It's a sad state of affairs. The image of the women is very effective and I understand Eibhlín's, the other woman's case! Your hair is not important, your clothes are not important, your garden is not important. Your family and your health are important. People put a lot of emphasis on silly things! This extract is very effective and like Desperate Housewives!

Roinn II: Filíocht ainmnithe nó roghnach

Students may study a 'cúrsa roghnach filíochta'(optional poetry course) instead of the 'cúrsa ainmnithe filíochta' (named poetry course). Your teacher will tell you which one you are studying. There will be a set of questions for each course: in the examination, make sure you choose a question from the course you have studied.

You must answer one question on poetry: either a question on the five prescribed poems choices below or a question on the five optional poems you have studied with your teacher.

Do the named poetry OR optional poetry

Filíocht ainmnithe/*Named poetry: 50 marc*

Poetry: you must answer **on one of these:**

- **An tEarrach Thiar** (*Springtime in the West*) le Máirtín O Díreáin
- **An Spailpín Fánach** (*The Wandering Labourer*)ní fios cé a chum an dán seo (*We don't know who wrote it*)
- **Colscaradh** (*Divorce*) le Pádraig Mac Suibhne
- **Géibheann** (*Captivity*) le Caitlín Maude
- **Mo Ghrá-sa** (**idir lúibíní**) (*My Love* (*in brackets*)) le Nuala Ní Dhomhnaill

In the Poetry course, I have covered the aspects below: learn these key phrases!

an dán: *the poem*

an file: *the poet*

íomhánna: *images*

an t-atmaisféar: *the atmosphere*

na mothúcháin: *emotions*

na téamaí: *themes*

an maith leat an dán?: *do you like the poem?*

cén fáth?: *why?*

Guidelines

- You must attempt a) and b) in the section.
- In the questions, you are generally asked to write about the theme, emotions, imagery and whether you like or dislike the poem.
- Keep sentences short and accurate.
- Back up any statement made.
- Spend approx 30 minutes on this section of the paper.
- Name the poem and poet!
- Study all options and choose the question you understand!
  (All of the above apply to the *cúrsa roghnach* as well)

an dán = *the poem*, **an dáin** = *of the poem*, mar shampla:
téama an dáin = *the theme of the poem*
mothúcháin an dáin = *the emotions of the poem*
íomhánna an dáin = *the images of the poem*
scéal an dáin = *the story of the poem*
teideal an dáin = *the title of the poem*

Nathanna úsáideacha/*Handy phrases*

úsáideann an file: *the poet uses*

codarsnacht: *contrast*

is iomaí mothúchán: *many the emotion*

atmaisféar an dáin: *the atmosphere of the poem*

tá na híomhánna an-réadúil agus soiléir: *the images are very realistic and clear*

tá uaim le feiceáil nó le cloisteáil: *alliteration can be seen or heard*

tá an teideal oiriúnach: *the title is appropriate*

ceapaim go bhfuil an file: *I think the poet is*

tá brón le feiceáil: *sadness can be seen*

tá croí briste le feiceáil: *a broken heart can be seen*

mothaíonn an file: *the poet feels*

os ár gcomhair: *in front of us*

tugann sé _____ dúinn: *he gives ___ to us*

is léir dom: *it is clear to me*

- Know the background of each poem.
- Know the key emotion/theme/images.
- Quote from the poem to reinforce your answer!

An tEarrach Thiar/*Springtime in the West* le Máirtín ó Direáin

Brief explanation/background

Máirtín Ó Direáin was born in the Aran Islands and had to leave there to find work in Dublin and Galway. He really missed his family and home place. This poem is an account of the poet looking at the routines on the island.

key point

Learn the list below before tackling this poem!

- **an tOileán**: *the Island*
- **timpeall an oileáin**: *around the island*
- **an áit**: *the place*
- **muintir na háite**: *the people of the place*
- **an t-earrach**: *the Spring*
- **le linn an earraigh**: *during the Spring*

Leagan Béarla

Leagan Gaeilge éasca

Véarsa a haon

A man cleaning clay	tá fear ag glanadh clábair
From the tread of a spade	óna spáid
In the soft silence	tá sé go breá agus ciúin
In the heat of the day	tá an ghrian ag taitneamh
Sweet the sound	tá an fhuaim go hálainn
In the western Spring	san earrach san Iarthar

Véarsa a dó

A man casting	tá fear ag caitheamh
A basket from his back	ciseáin óna dhroim
And the red seaweed	agus an fheamainn
Shining	ag lonrú
In sunlight	i solas an lae
On a white stony shore	ar an trá bhán
A luminous sight	is radharc lonrach é
In the western Spring	san earrach san Iarthar

Véarsa a trí

Women in little pools	Mná i lochanna beaga
Left by the tide on the beach	nuair atá na tonnta imithe
Their frocks hitched up	a ngúnaí ardaithe acu
Reflections below them	agus scáilí fúthu
An entrancing, peaceful sight	is aisling shíochántá í
In the western Spring	san earrach san Iarthar

Véarsa a ceathair

Faint low blows	Fuaimeanna ísle
Of the oars	de na maidí rámha
A currach full of fish	bád lán le héisc
Coming ashore	ag teacht chun na trá
On the golden neap-tide,	ar an bhfarraige órga
At the end of the day	ag deireadh an lae
In the western Spring	san earrach san iarthar

Gluais

mhothaigh sé: *he felt*	Oileáin Árann: *Aran Islands*
áit dhúchais: *native place*	radhairc: *views*
an fheamainn: *seaweed*	draíocht: *magic*
síocháin: *peace*	idéalach: *idyllic*
An tOileán: *the Island*	

Ceist a haon:

Cad é scéal an dáin?

Scéal an dáin/*Story of the poem*

Sa dán seo, feicimid pictiúir d'**áit dhúchais** an fhile. Lá amháin, chonaic an file feirmeoir ag obair agus stop sé ag siúl agus chonaic sé **na radhairc** a bhí timpeall air ar an trá. Bhí grá láidir aige dá áit dhúchais ach **bhog sé** go Baile Átha Cliath chun post a fháil. Ní raibh poist le fáil ar **Oileáin Árann**. Chuala an file **fuaimeanna áille** freisin. Bhí a lán measa ag an bhfile ar an áit. Mhothaigh sé **síocháin** ar an oileán mara.

Gluais

áit dhúchais: *native place*	ar Oileáin Árann: *in the Aran Islands*
na radhairc: *the sights*	fuaimeanna áille: *lovely sounds*
bhog sé: *he moved*	síocháin: *peace*

Ceist a dó:

Cad iad na híomhánna atá le feiceáil sa dán?

Na híomhánna/*Images*

Véarsa a haon:

- Feictear (*one sees*) fear ag glanadh a spáide: *a man cleaning his spade*
- Cloistear (*one hears*) fuaim an fhir: *the sound of the man*
- Mothaítear (*one feels*) teas na gréine: *the heat of the sun*

Véarsa a dó:

- Feictear fear ag caitheamh a chiseáin dá dhroim: *a man throwing his basket off his back*
- Feictear an fheamainn ag lonrú faoin ngrian: *the seaweed shining under the sun*
- Feictear an trá bhán ghleoite: *the white pretty beach*

Véarsa a trí:

- Feictear na mná ag obair go dian: *the women working hard*
- Feictear a scáileanna san uisce: *their reflections in the water*
- Cloistear ciúnas san atmaisféar: *quietness of the atmosphere*

Véarsa a ceathair:

- Cloistear fuaim na maidí rámha: *the sound of the oars*
- Feictear na hiascairí ag teacht chun na trá: *the fishermen coming ashore*
- Feictear an fharraige ghleoite fhoirfe: *the pretty, perfect sea*

Ceist a trí:

Cad é an príomhthéama an dáin?

Téamaí an dáin/*Themes:*

síocháin: *peace*	ciúnas: *quietness*	sonas: *happiness*
áit dhúchais: *native place*	cumha: *nostalgia*	draíocht: *magic*
nádúr: *nature*	saol na tuaithe: *country life*	an fharraige: *the sea*

Téama 1:
Áit dhúchais/*Native place*

key point

FREAGRA SAMPLACH/*SAMPLE ANSWER*

Sa dán seo 'An tEarrach Thiar' le Máirtín Ó Direáin, tá áit **dhúchais** le feiceáil.

Start all answers stating: theme chosen, poet and name of poem. Give the story of the poem and mention the theme as often as possible.

Sa dán bhí an file ag féachaint amach ar an bhfarraige nuair a chonaic sé radharc álainn na farraige. Bhí daoine ag obair ann — fear ag glanadh a spáide, fear eile ag bailiú na feamainne agus mná ag obair ina gcótaí. **Lár an Earraigh** a bhí ann. Bhí an ghrian ag taitneamh. Bhí **atmaisféar bog síochánta** ann. Nuair a bhí an file ina óige ní raibh post le fáil ar Oileáin Árann agus bhí brú air. **Bhog sé** go **cathair na Gaillimhe** ar dtús agus ansin go Baile Átha Cliath. Is fuath leis **saol na cathrach**. Is breá leis **saol an oileáin**. An tsíocháin agus an ciúnas. Tá a lán grá aige dá áit dhúchais. **Mothaíonn sé** ar a **shuaimhneas** agus tá áthas an domhain air ina áit dhúchais.

Gluais

lár an Earraigh: *the middle of Spring*
mothaíonn sé: *he feels*
atmaisféar bog síochánta: *soft peaceful atmosphere*
saol an oileáin: *island life*

bhog sé: *he moved*
cathair na Gaillimhe: *Galway city*
saol na cathrach: *city life*
suaimhneas: *peace/ease*

Téama 2:
Saol na tuaithe/*Country life*

FREAGRA SAMPLACH/*SAMPLE ANSWER*

Sa dán seo 'An tEarrach Thiar' le Máirtín Ó Direáin, tá **saol na tuaithe** le feiceáil.

Lá amháin bhí an file amuigh ag siúl **timpeall na háite nuair a stop sé ar an trá.** **Chonaic sé** na radhairc a bhí timpeall air. Mhothaigh sé an suaimhneas agus an t**síocháin sa** '*chiúnas shéimh*' ar an trá. Bhí fear ag glanadh a spáide, bhí fear eile ag bailiú na feamainne, bhí **slua ban** ag obair, bhí na hiascairí ag teacht isteach, bhí an ghrian go hard sa spéir agus **bhí saol breá na tuaithe** le feiceáil san atmaisféar seo. Is fuath le Ó Direáin **saol na cathrach**, is breá leis an **ciúnas** agus an tsíocháin. Tá sé **compordach** *dtaitneamh greine*' agus sona sásta ann. Níl strus air. Is breá leis saol siochánta na tuaithe.

Gluais

timpeall na háite: *around the place*
saol breá na tuaithe: *nice country life*
ciúnas: *quietness*
saol na cathrach: *city life*

slua ban: *a crowd of women*
síocháin: *peace*
compordach: *comfortable*

Ceist a ceathair:

Cad é príomhmhothúchán an dáin?

Mothúcháin/*Emotions*

grá: *love*	meas: *respect*	cumha: *nostalgia*
uaigneas: *loneliness*	áthas: *happiness*	síocháin: *peace*

Mothúchán 1: Grá/*Love*

Sa dán '*An tEarrach Thiar*' le Máirtín O Direáin, tá **grá** le feiceáil.

Tá an dán seo faoi na radhairc atá le feiceáil ar Oileáin Árann. Lá amháin bhí fear ag glanadh a spáide, fear eile **ag bailiú na feamainne**, mná ag obair agus na hiascairí **ag teacht abhaile**. Bhí **grá i gcroí an fhile** ag féachaint amach ar na radhairc. Bhí an t-atmaisféar **an-síochánta**. '*Sa chiúnas shéimh*' ní raibh éinne ag caint. Bhí an ghrian '*ag lonrú*' agus bhí gach duine sona sásta. Tá a lán **grá** agus measa ag an bhfile ar an áit.

Ní raibh **strus** air, ní raibh brú air. Bhí sé ar a **shuaimhneas** ann. Bhí **grá láidir** aige don **áit álainn** séo. Bhí **áthas** air '*I ndeireadh an lae san Earrach thiar*'.

Gluais

ag bailiú na feamainne: *collecting seaweed*	suaimhneas: *ease*
ag teacht abhaile: *coming home*	an-síochánta: *very peaceful*
croí an fhile: *the heart of the poet*	áit álainn: *lovely place*

Mothúchán 2: Uaigneas/*Loneliness*

Sa dán '*An tEarrach Thiar*' le Máirtín Ó Direáin, tá **uaigneas** le feiceáil.

Sa dán séo, tá Ó Direáin, an file, ag féachaint amach ar an bhfarraige. Feiceann sé **fir agus mná** ag obair **go dian**. Tá meas ag an bhfile ar na daoine atá ann. Ceapaim go bhfuil sé ag caint faoi **mhuintir na háite** — a chlann, a chairde. **Oibríonn siad** go dian gach lá san atmaisféar ciúin, síochánta. Bhí Ó Direáin ag obair sa chathair, ní raibh sé in Oileáin Árann **a thuilleadh**. Mothaíonn sé uaigneach sa chathair. Is breá leis a chlann agus an t-oileán. Nuair a théann sé abhaile tá **a chroí lán de ghrá**. Ach freisin, tá uaigneas air fós mar beidh sé **ag filleadh ar ais** ar an gcathair. Tá brón air ann agus ba mhaith leis teacht abhaile cosúil leis an '*currach lán éisc ag teacht chun cladaigh ... I ndeireadh lae*'.

Gluais

fir agus mná: *men and women*	a thuilleadh: *anymore*
go dian: *hard*	a chroí lán de ghrá: *his heart full of love*
muintir na háite: *the people of the place*	ag filleadh ar ais: *returning back*
oibríonn siad: *they work*	

Ceist a cúig:

Déan cur síos ar atmaisféar an dáin.

An t-atmaisféar:

Sa dán seo 'An tEarrach Thiar' le Máirtín O Direáin, tá atmaisféar síochánta bog agus ciúin ann.

Tá an file ag siúl **ina aonar** agus stopann sé ar an trá. Tá **an t-aer glan agus folláin**. Tá an fheamainn le feiceáil **ag lonrú faoin ngrian**. Tá na fuaimeanna go hálainn agus tá na **dathanna gleoite agus geal**. Tá gach duine ag obair **go dian**. Tá gach duine **ar a suaimhneas**. Is áit bhreá bhog shíochánta chompordach í. Tá áthas ar an bhfile ar an trá. Tá grá ina chroí. Tá **faoiseamh** le fáil san atmaisféar ar Oileáin Árann.

Gluais

ina aonar: *on his own*	dathanna gleoite agus geal: *pretty, bright colours*
an t-aer glan agus folláin: *the clean, healthy air*	go dian: *hard*
ag lonrú faoin ngrian: *shining in/under the sun*	ar a suaimhneas: *at ease*
	faoiseamh: *relief*

Ceist a sé:

An maith leat an dán? Cén fáth? *Do you like the poem? Why?*

Is breá liom an dán séo le Máirtín O Direáin.

Tá sé an-suaimhneach. Is breá liom saol na tuaithe. Tá **an cur síos** ar an oileán **an-réadúil** agus síochánta. Tá an file ar a shuaimhneas ar Oileáin Árann. Tá na híomhánna **an-soiléir agus éifeachtach**. Cloisim na **fuaimeanna** nuair a léim an dán, feicim na dathanna agus mothaím an ghrian orm. Tá **íomhá an earraigh** go hálainn. Thaitin sé liom mar mhothaigh mé **saor ó bhrú an tsaoil** ag léamh an dáin. Tá áthas ar gach duine agus tá **ciúnas san aer**.

Gluais

cur síos: *description*	íomhá an earraigh: *the image of Spring*
an-réadúil: *very realistic*	saor ó bhrú an tsaoil: *free from the pressures of life*
an-soiléir agus éifeachtach: *very clear and effective*	ciúnas san aer: *quietness in the air*
fuaimeanna: *sounds*	

An Spailpín Fánach/
The Wandering Labourer
Ní fios cé a chum an dán seo

Brief Explanation/Background:

The wandering labourer was a man who went from farm to farm seeking any possible work. He once owned a farm but this land had been taken from him by the English. The labourer in this poem is very annoyed about the way things are and his health is failing so he does not feel as fit as he once did.

Learn the list below before tackling this poem!

- **ag lorg oibre**: *seeking work*
- **an fheirm**: *the farm*
- **fear oibre**: *working man*
- **ag dul ó fheirm go feirm**: *going from farm to farm*
- **in aghaidh na Sasanach**: *against the English*
- **talamh ó fheirmeoirí Éireannacha**: *land from Irish farmers*

Leagan Béarla	*Leagan Gaeilge éasca*
Véarsa a haon	
A wandering labourer I have been for a long time	is Spailpín Fánach mé le fada an lá
My health is in a bad way	mo shláinte i ndrochshlí
Walking the dew in the early morn	ag siúl na mbóithre go moch ar maidin
And picking up seasonal diseases	ag fáil tinneas nua gach séasúr
But I would accept fees from the king of the croppies	ach troidfidh mé leis na Croppies
A club and a pike for stabbing	gheobhaidh mé mo threalamh
And never again will my name be called out	ní iarrfar orm arís feasta
In this country, the wandering labourer	bheith i mo spailpín fánach sa tír seo

Véarsa a dó

I often travelled to pretty Clonmel	chuaigh me go Cluain Meala deas go minic
From there to Tipperary town	agus ansin, go Tiobraid Árann
In Carrick-on-Suir I used to cut	ansin, chuaigh mé go Carraig na Siúire
Meadows, wide and strong	ag obair go dian
In Callan my thresher tight in my fist	go Callainn m'uirlis i mo láimh
Going at my trade	ag déanamh mo cheirde
When I go to Thurles I hear them call	agus nuair a théim go Durlas deir daoine
Here comes the wandering labourer!	go bhfuil an spailpín fánach ag teacht

Véarsa a trí

Never again will I go to Cashel	ní rachaidh mé go Caiseal arís
selling and squandering my health	ag díol nó ag scriosadh mo shláinte
Or on the market-day sitting beside the wall	ní rachaidh mé ar ais go dtí na ballaí ar lá an aonaigh
tall and scrawny at the side of the street	mé ard agus tanaí ar thaobh na sráide
while wealthy men pass on horseback	ag fanacht leis na feirmeoirí ar a gcapall
asking if I have been hired	ag lorg na bhfear
Then saying come with them, it's a long way	deir siad, 'tar liom is turas fada é'
and away walks the wandering labourer	Agus ar aghaidh leis an spailpín fánach

Nóta: 'rí na gcroppies': 'king of the croppies': a group of Irish rebels in the 18th century who wanted the English out.

Gluais

post buan: *permanent job*	chun slán a rá lena shaol: *to say goodbye to his life*
briseadh ar a shláinte: *his health failed*	
Na Sasanaigh: *the English*	fear oibre: *working man*
ar phá íseal: *on low pay*	ag troid: *fighting*
	uirlisí oibre: *work tools*

Ceist a haon:

Cad é scéal an dáin?

Scéal an dáin/*Story of the poem*

Tá an dán seo faoi **fhear oibre** ar fheirmeacha mar **lámh chúnta** do na feirmeoirí. Ní raibh aon phost eile aige. Bhí sé **ag brath ar phá** íseal a fuair sé. Bhí sé **ag fulaingt** sa phost seo. Ní raibh sé sásta ag obair do na Sasanaigh. **B'fhéidir** go raibh feirm aige agus gur thóg Sasanaigh **an fheirm** agus tá sé míshásta anois. Níl meas aige ar na Sasanaigh. Tá a **shláinte go dona** anois mar is seanfhear é. Chaith sé a shaol ag obair ann. Anois tá sé **caite**. Chuaigh an file ó áit go háit ag lorg oibre. **Troidfidh sé** in aghaidh na Sasanach agus beidh meas aige air féin.

Gluais

fear oibre: *working man*	sláinte go dona: *bad health*
lámh chúnta: *helping hand*	caite: *worn out*
ag brath ar phá: *depending on pay*	troidfidh sé: *he will fight*
b'fhéidir: *maybe*	ag fulaingt: *suffering*
an fheirm: *the farm*	

Ceist a dó:

Cad iad na híomhánna atá le feiceáil sa dán?

Na híomhánna/*The images*

Véarsa a haon:

- Feictear (*one sees*) fear oibre ag siúl timpeall na háite ag lorg oibre.
- Feictear an Spailpín lena **uirlisí oibre réidh chun troda**.
- Feictear fear **feargach** leis na Sasanaigh.

Véarsa a dó:

- Feictear fear **ag taisteal** timpeall na tíre ó Thiobraid Árann go Cill Chainnigh.
- Feictear fear láidir **bríomhar** ag obair go dian.
- Cloistear na daoine **ag glaoch** a ainm ag lorg fear oibre.

Véarsa a trí:

- Feictear **fear briste** caite.
- Feictear fear i sláinte dhona.
- Feictear **fuath** do na Sasanaigh a bhí **i réim**.
- Cloistear na Sasanaigh ag lorg fear oibre.

Gluais

uirlisí oibre réidh chun troda: *work tools ready to fight*	ag glaoch: *calling out*
feargach: *angry*	fear briste: *a broken man*
ag taisteal: *travelling*	i réim: *reigning*
bríomhar: *lively*	fuath: *hatred*

Ceist a trí:

Cad é príomhthéama an dáin?

Téamaí an dáin/*Themes*

caite: *worn out*	smacht na Sasanach: *English control*
easpa measa: *lack of respect*	saol an fhir oibre: *life of the working man*
seansaol: *old life*	ag troid: *fighting*
an fheirm: *the farm*	

Téama 1:
An Fheirm/*The Farm*

FREAGRA SAMPLACH/*SAMPLE ANSWER*

Sa dán seo *An Spailpín Fánach* tá an téama '**an Fheirm**' le feiceáil. Ní fios cé a chum an dán.

Tá an file ag lorg oibre ar an bhfeirm mar níl aon **talamh** aige. Bíonn sé ag obair **go dian** gach lá ar airgead **íseal**. Ní fhaigheann sé a lán airgid don obair. Is saol uafásach é. Déanann sé obair ar an bhfeirm. Tá an file míshásta leis an saol seo. Is léir go raibh feirm aige fadó ach go bhfuil sé **bainte de** anois. Tá sé faoi **smacht** na Sasanach. Tá an fear ag siúl ó áit go háit ag lorg oibre ó 'Tiobraid Árann' go 'Callainn' **in ísle brí**. Tá a shláinte go huafásach anois ach fós níl aon airgead aige. Téann sé ó fheirm go feirm ag lorg oibre agus '**ag bailiú galair ráithe**'.

Cinnte, tá **saol na feirme** le feiceáil sa dán seo.

Start all answers stating: theme chosen, poet and name of poem. Give the story of the poem and mention the theme as often as possible.

Gluais

talamh: *land*	in ísle brí: *run down*
íseal: *low*	ag bailiú galair ráithe: *collecting seasonal*
go dian: *hard*	*illnesses*
smacht: *control*	saol na feirme: *farm life*
bainte de: *taken from him*	

Téama 2:
Smacht na Sasanach/*The English in control*

FREAGRA SAMPLACH/*SAMPLE ANSWER*

Sa dán seo *An Spailpín Fánach* tá **smacht na Sasanach** le feiceáil. Ní fios cé a chum an dán.

Tháinig **na Sasanaigh** go hÉirinn agus ghabh siad **talamh na hÉireann**. Bhí siad i gceannas agus bhí daoine na hÉireann ag fulaingt. Bhí an file **an-chrosta** agus ní raibh aon fheirm aige. **Bhí air post a fháil** mar spailpín fánach. Bhí na feirmeacha go léir ag na **Sasanaigh**. Ní raibh suim aige sa phost seo. Ní raibh aon airgead aige, bhí pá íseal aige. Sa dán seo, tá na Sasanaigh **ag fostú** na bhfear. Ní raibh rogha ag an bhfile. Bhí an file míshona leis **na Sasanaigh** agus ag obair dóibh ar an bhfeirm. Bhí sé **tuirseach**, tinn agus **róshean** don saol sin. Ach lean sé ar aghaidh leis an saol sin '**ag reic mo shláinte**'.

Cinnte tá **smacht na Sasanach** le feiceáil mar phríomhthéama an dáin seo.

Gluais

talamh na hÉireann: *the lands of Ireland*	tuirseach: *tired*
an-chrosta: *very cross*	róshean: *too old*
bhí air post a fháil: *he had to get a job*	ag reic mo shláinte: *selling my health*
ag fostú: *employing*	

Ceist a ceathair:

Cad é príomhmhothúchán an dáin?

Mothúcháin/*Emotions*

Mothúchán 1: Fearg/*Anger*

fearg: *anger*	easpa measa: *lack of respect*	cumha: *nostalgia*
tuirse: *tiredness*	fuath: *hate*	brón: *sadness*

Sa dán *An Spailpín Fánach* (ní fios cé a chum), tá **fearg** le feiceáil.

Tá an spailpín fánach **tinn tuirseach den saol**. Tá a chroí briste. Tá sé **in ísle brí**. Tá sé ag fulaingt go dona. Chaith sé gach lá ag siúl ó áit go háit ag lorg oibre agus **ag fáil airgid beag**. Is fuath leis na Sasanaigh. Ghabh siad a fheirm. B'fhéidir go raibh áthas air **fadó**. Ach anois tá **fearg** air mar tá gach rud **difriúil**. Tá sé caite, tinn agus **ar buile** mar tá sé faoi bhrú ag dul timpeall na háite ag lorg oibre. Tá **a uirlisí oibre** leis ach tá a shláinte go dona. Is fuath leis na feirmeoirí saibhre. Is fuath leis an post mar spailpín. Tá sé **bocht** anois, tá sé **leathmharbh** ach níl aon **rogha aige**.

Gluais

tinn tuirseach den saol: *sick and tired of life*	ar buile: *raging*
in ísle brí: *depressed*	uirlisí oibre: *work tools*
ag fáil airgead beag: *getting little money*	bocht: *poor*
fadó: *long ago*	leathmharbh: *half-dead*
difriúil: *different*	rogha: *choice*

Mothúchán 2: Fuath/*Hatred*

Sa dán *An Spailpín Fánach* (ní fios cé a chum), tá **fuath** le feiceáil.

Tá an spailpín fánach tinn tuirseach den saol. Tá a chroí briste. Tá sé in ísle brí. Is fuath leis na Sasanaigh. Anois, gan fheirm, caitheann sé gach lá ag siúl ó áit go háit ag lorg oibre agus **ag fáil airgid beag**. Tá fuath ina chroí dóibh. Ghabh siad a fheirm, bhain siad a shlí bheatha de. Bhí áthas air **fadó**. Tá sé caite, tinn agus **ar buile** mar tá sé faoi bhrú ag dul timpeall na háite ar lorg oibre. Tá a uirlisí oibre leis ach tá a shláinte go dona. Ba mhaith leis a bheith leis na Croppies — grúpa a bhí in aghaidh na Sasanach. Is fuath leis na feirmeoirí saibhre. Is fuath leis an post mar spailpín. Tá sé **bocht** anois, tá sé **leathmharbh** ach níl aon rogha aige, ach tá fuath ina chroí nuair a fheiceann sé na Sasanaigh ar a gcapaill agus smacht acu ar obair ar **fheirmeacha na hÉireann**.

Gluais

ag fáil airgead beag: *getting little money*	bocht: *poor*
fadó: *long ago*	leathmharbh: *half-dead*
ar buile: *raging*	feirmeacha na hÉireann: *the farms of Ireland*

Ceist a cúig:

Déan cur síos ar atmaisféar an dáin.

An t-atmaisféar:

Sa dán seo *An Spailpín Fánach* tá atmaisféar brónach le feiceáil ann.

Tá an file **in ísle brí** agus caite. Tá sé **faoi bhrú** mar níl airgead aige agus tá sé **bréan den saol**. Tá sé tuirseach traochta agus réidh chun troid leis na Sasanaigh. Tá an t-atmaisféar **dorcha agus trom** sa dán. Tá an file tinn agus ag **fulaingt** sa dán. Tá sé ag dul ó áit go háit ag lorg oibre chun airgid a fháil mar tá a fheirm imithe. Tá na Sasanaigh timpeall na háite 'ar a gcapaill' ag lorg daoine agus níl an file sásta leis sin mar tá sé tinn, sean agus caite.

Gluais

in ísle brí: *depressed/run down*	dorcha agus trom: *dark and heavy*
faoi bhrú: *under pressure*	ag fulaingt: *suffering*
bréan den saol: *sick of life*	

Ceist a sé:

An maith leat an dán? Cén fáth? *Do you like the poem? Why?*

Is breá liom an dán séo. Is maith liom an stair atá le fáil sa dán seo. Bhí feirm ag an bhfile **uair amháin** ach anois tá sí imithe mar tháinig na Sasanaigh agus **ghoid siad** an talamh. Bhí ar an bhfile post a fháil mar spailpín fánach agus is fuath leis an bhfile an post seo. Tá sé sean anois agus níl aon **suim** aige i ndul ó áit go háit ag lorg oibre. **Is beag an meas atá aige** ar an bpost. Chuaigh sé **ag troid ar son rí na gCroppies** san ochtú haois déag. Bhí siad in aghaidh na Sasanach agus bhí an file **bréan de na Sasanaigh**. Is breá liom an dán mar is breá liom an file! Is fear feargach é!

Gluais

uair amháin: *one time*	ag troid ar son rí na gcroppies: *fighting for the king of Croppies*
ghoid siad: *they stole*	
suim: *interest*	is beag an meas atá aige: *it is little respect he has*
bréan de na Sasanaigh: *sick of the English*	

Géibheann/*Captivity* le Caitlín Maude

Brief Explanation/Background:

This lion is a metaphor for the poet. Caitlín Maude suffered with cancer from an early age. She felt trapped by this disease and felt imprisoned by the illness. She is remembering the days when she was in full health.

Learn the list below before tackling this poem!

- **ailse**: *cancer*
- **an leon**: *the lion*
- **saoirse**: *freedom*
- **an t-ainmhí**: *the animal*
- **meafar**: *metaphor*
- **tinneas**: *illness*
- **ag fulaingt**: *suffering*
- **sláinte**: *health*
- **cás**: *cage*
- **ag lorg faoisimh**: *seeking peace/relief*

Leagan Béarla	*Leagan Gaeilge éasca*
I am an animal	is ainmhí mé
A wild animal	ainmhí fiáin
From the tropics	as tíortha te
Famous and renowned	tá mé cáiliúil
For my beauty	as m'áilleacht
I would shake the trees of the wood	Chroith mé na crainn
Once	bhí an t-am ann fadó
With my roar	le mo scread
But now	ach anois
I lie down	luím síos
And look through one eye	le súil amháin ar oscailt
At that solitary tree over there	ag féachaint ar an gcrann thall
Hundreds of people come every day	tagann daoine gach lá
Who would do anything	dhéanfaidís aon rud
For me	dom
Except let me out	Ach amháin ní ligfidh siad amach mé

Ceist a haon:

Cad é scéal an dáin?

Scéal an dáin/*Story of the poem*

Tá an dán seo **Géibheann** le Caitlín Maude faoin bhfile. **Tá ailse** uirthi agus tá sí **in ísle brí**. Tá sí ar **leaba a báis** agus mothaíonn sí go bhfuil sí **i bpríosún**. Níl sí sásta lena saol. Ba mhaith léi briseadh amach ón 'géibheann' sin agus dul ar ais go dtí an **seansaol** a bhí aici. Tá an leon **sa chás** cosúil léi. Níl saoirse aige ach oiread. Tá sé i ngéibheann, níl **rogha** aige. Tá gach duine ag féachaint air ach **ní ligfidh siad saor é**. B'fhéidir go bhfuil daoine **ag tabhairt cuairte** ar an bhfile agus ní ligfidh siad an file saor. Tá eagla uirthi.

Gluais

géibheann: *captivity*	rogha: *choice*
ailse: *cancer*	seansaol: *old life*
in ísle brí: *depressed*	ag tábhairt cuairte: *visiting*
i bpríosún: *in prison*	ní ligfidh siad saor é: *they won't set him free*
cás: *cage*	

Ceist a dó:

Cad iad na híomhánna atá le feiceáil sa dán?

Na híomhánna/*Images*

Dhá íomhá le feiceáil:

Íomhá 1: An leon

- Feictear (*one sees*) leon sa chás agus é ina aonar.
- Feictear go bhfuil sé in ísle brí.
- Mothaítear (*one feels*) trua don **leon bocht**.
- Feictear daoine ag féachaint air ach níl siad ábalta é a ligean saor.
- Feictear an leon **ag smaoineamh ar laethanta a óige** nuair a bhí sé **saor**.
- Feictear **brón an leoin**.

Íomhá 2: An file

- Feictear brón an fhile.
- Feictear an file ag fulaingt **le hailse agus í an-tinn**.
- Mothaítear **trua** don fhile ag fulaingt ina haonar.
- Feictear daoine ag tabhairt cuairte uirthi.
- Feictear an file **ag smaoineamh siar** ar laethanta a hóige nuair a bhí sí saor agus **sláintiúil**.

Gluais

leon bocht: *poor lion*	trua: *pity*
ag smaoineamh ar laethanta a óige: *thinking of the days of his youth*	le hailse agus í an-tinn: *with cancer and her very sick*
saor: *free*	ag smaoineamh siar: *thinking back*
brón an leoin: *the sadness of the lion*	sláintiúil: *healthy*

Ceist a trí:

Cad é príomhthéama an dáin?

Téamaí an dáin/*Themes*

caite amach: *worn out*	ag troid: *fighting*	cumha: *nostalgia*
codarsnacht: *contrast*	tinneas: *illness*	saoirse: *freedom*
géibheann: *captivity*		

Téama 1:
Saoirse/*Freedom*

FREAGRA SAMPLACH/*SAMPLE ANSWER*

Sa dán seo *Géibheann* le Caitlín Maude, tá **saoirse** le feiceáil.

Sa dán feicimid leon ina chás ina aonar. Tá **uaigneas** air agus mothaíonn sé **in ísle brí**. Smaoiníonn sí ar a shaol **fadó** nuair a bhí sé saor sna '**teochreasa**'. Ansin, bhí sé **ábalta** rith timpeall agus ní raibh daoine ag féachaint air. Bhí áthas air ansin. Ach anois tá sé i ngéibheann, níl **saoirse** aige, tá sé **i bpríosún**.

Is meafar é **an t-ainmhí** seo ar an bhfile. Tá sí ag fulaingt le hailse. Mothaíonn sí go bhfuil sí i bpríosún. Tá sí ar leaba a báis agus níl sí ábalta a **saol a chaitheamh**. Níl **saoirse** aici ach tá **saoirse ag teastáil uaithi**. Tá brón an domhain uirthi **ina cás** féin. Níl suim aici sa saol.

> **key point**
> Start all answers stating: theme chosen, poet and name of poem. Give the story of the poem and mention the theme as often as possible.

Gluais

uaigneas: *loneliness*	i bpríosún: *in prison*
in ísle brí: *depressed*	an t-ainmhí: *the animal*
fadó: *long ago*	ina cás: *in her cage*
teochreasa: *tropics*	saol a chaitheamh: *to spend her life*
ábalta: *able*	ag teastáil uaithi: *she wanted*

Téama 2:
Ag cuimhneamh siar/*Remembering back*

FREAGRA SAMPLACH/*SAMPLE ANSWER*

Sa dán seo *Géibheann* le Caitlín Maude, tá **cuimhneamh siar** le feiceáil.

Is cuimhin leis an leon na **laethanta** a bhí aige **sna teochreasa**, é saor agus gan bhrú. Bhí sé ábalta aon rud a dhéanamh. Ní raibh daoine ag féachaint air. Bhí sé **ag búiríl gan stad**. Anois tá sé ina chás i ngéibheann. Níl sé saor. Tá sé i bpríosún. Tá daoine ag féachaint air agus ní thuigeann siad go bhfuil brón air. Tá an file **ag cuimhneamh siar** freisin. Nuair a bhí sí **ina hóige** bhí sí saor. Ní raibh sí tinn. Ní raibh ailse uirthi. Anois tá brón uirthi **ag cuimhneamh siar** agus ag féachaint ar an saol atá aici anois. Tá sí i ngéibheann freisin.

Gluais

is cuimhin leis: *he remembers*	ag búiríl gan stad: *roaring non-stop*
laethanta: *days*	ina hóige: *in her youth*
sna teochreasa: *in the tropics*	

Ceist a ceathair:

Cad iad príomhmhothúcháin an dáin?

Mothúcháin/*Emotions*

fearg: *anger*	eagla: *fear*	cumha: *nostalgia*
tuirse: *tiredness*	fuath: *hate*	brón: *sadness*

Mothúchán 1: Fearg/*Anger*

Sa dán *Géibheann* le Caitlín Maude, tá an príomhmhothúchán **fearg** le feiceáil.

Sa dán feicimid leon i ngéibheann ina chás. Tá **fearg** an domhain air. Gach lá, féachann sé amach 'trí leathshúil' ar na **turasóirí** ag féachaint air. Níl sé sásta **in aon chor**. Níl sé saor. **Ba mhaith leis dul ar ais** go dtí na 'teochreasa' agus a bheith faoin gcrann gan bhrú. Tá **fearg** air mar tá sé sa chás sa **zú**. Tá **fearg** ar an bhfile freisin. Tá sí cosúil leis an leon. Tá sí i  ngéibheann ina **tinneas**. Níl sí saor. Ba mhaith léi **feabhas** uirthi. Tá a **sláinte go dona** mar tá ailse uirthi. Tá a saol **go huafásach** leis an tinneas seo. Tá saoirse ag teastáil uaithi. Tá sí **ar buile** ina cás féin in ísle brí.

Gluais

turasóirí: *tourists*	tinneas: *sickness*
ba mhaith leis dul ar ais: *he would like to go back*	feabhas: *improvement*
	sláinte go dona: *bad health*
in aon chor: *at all*	go huafásach: *terrible*
zú: *zoo*	ar buile: *raging*

Mothúchán 2: Eagla/*Fear*

Sa dán seo, *Géibheann* le Caitlín Maude, tá **eagla** le feiceáil.

Tá an leon **bocht scanraithe ina bheatha** sa chás ina aonar. Tá uaigneas an domhain air. Tá daoine sa zú ag féachaint air '*tágann na ceadtá daoine*'. Tá fearg air mar tá sé i ngéibheann sa chás sa zú. Ba mhaith leis a **sheansaol**. Tá **eagla** ar an bhfile bocht freisin. Tá sí an-tinn le hailse. Tá sí ar **leaba a báis**. Tá sí **faoi bhrú** anois. Tá sí **scanraithe ina beatha**. Tá sí **gafa** sa phríosún cosúil leis an leon. Níl **a lán ama** fágtha aici. Tá saoirse ag teastáil uaithi. Tá saol uafásach aici anois leis an tinneas agus tá **eagla** an domhain uirthi.

Gluais

bocht: *poor*	seansaol: *old life*
scanraithe ina bheatha/beatha: *frightened out of his/her wits*	leaba a báis: *(her) death bed*
	faoi bhrú: *under pressure*
tagann na céadta daoine: *hundreds of people come*	gafa: *stuck*
	a lán ama: *a lot of time*

Ceist a cúig:

Déan cur síos ar atmaisféar an dáin.

An t-atmaisféar:

Sa dán *Géibheann* tá atmaisféar **dorcha** le feiceáil. Is dán brónach é. Tá an t-atmaisféar **go huafásach**. Táimid ábalta mothúcháin an fhile a fheiceáil. Tá an file in ísle brí. Tá sí **buartha**. Tá sí tinn. Tá ailse uirthi. Tá saoirse ag teastáil uaithi. Tá **sí ar leaba a báis**. Tá an leon **in ísle brí**, tá sé i ngéibheann. Bíonn sé **sa zú** sa chás gach lá. Tá daoine ag féachaint air. Tá fearg agus brón air. Tá saoirse ag teastáil uaidh. Is fuath leis a shaol. Tá an t-atmaisféar **íseal** agus brónach sa dán séo.

Gluais

dorcha: *dark*	in ísle brí: *depressed*
go huafásach: *terrible*	sa zú: *in the zoo*
buartha: *worried*	íseal: *low*
ar leaba a báis: *on her deathbed*	

Ceist a sé:

An maith leat an dán? Cén fáth? *Do you like the poem? Why?*

Is breá liom an dán seo. Is breá liom an meafar sa dán. Ceapaim go bhfuil an dán **éifeachtach**. Tá an téama **suimiúil**. Tá an leon ag fulaingt ina chás agus mothaíonn sé i ngéibheann. Mothaíonn an file i ngéibheann freisin mar tá sí **ag fulaingt** le hailse. Mothaíonn sí **sean** anois agus tinn, tá sí **bréan den saol**. Tá an leon sean anois agus tá sé **bréan den saol**. Fuair sí bas den ailse agus tá **trua** agam di. Bhí an file tinn nuair a scríobh sí an dán. Tá an íomhá den zú brónach. An t-ainmhí bocht!

Gluais

éifeachtach: *effective*	sean: *old*
suimiúil: *interesting*	bréan den saol: *sick of life*
ag fulaingt: *suffering*	trua: *pity*

Colscaradh/*Divorce*: le Pádraig Mac Suibhne

Brief explanation/background

This poem is about a married couple who were unhappy. The husband wanted a wife to take care of the family, who would fit the traditional housewife role. She wanted independence and an equal partnership. They separated in the end.

Learn the list below before tackling this poem:

- **colscaradh**: *divorce*
- **ag teip**: *failing*
- **gaol**: *relationship*
- **pósadh**: *marriage*
- **pósta**: *married*
- **scartha**: *separated*
- **codarsnacht**: *contrast*
- **theastaigh _____ uaidh/uaithi**: *he/she wanted_____*
- **réitigh siad**: *they solved*
- **fadhb/fadhbanna**: *problem/problems*
- **lánúin**: *couple*
- **bréan den chaidreamh**: *sick of the relationship*

Leagan Béarla   *Leagan Gaeilge éasca*

Véarsa a haon

He desired a wife	Theastaigh bean uaidh
In the nest of the home	ina theach
Support and love	tacaíocht agus grá
Beside the fire	in aice na tine
Happiness and humour	gliondar agus áthas
In bringing up a family	na páistí ag fás aníos

Véarsa a dó

She desired a man	Theastaigh fear uaithi
And half the power	agus leath na cumhachta
Protection and love	cosaint agus grá
And half of the cake	agus leath den airgead
A holiday abroad	saoire thar lear
And the respect of people	agus meas na ndaoine

Véarsa a trí

They solved the problem.	Fuair siad réiteach.
They separated.	Scar siad.

Ceist a haon:

Cad é scéal an dáin?

Scéal an dáin:

Tá an dán seo, *Colscaradh* le Pádraig Mac Suibhne, faoi **lánúin phósta**. **Bhris siad ó chéile** mar ní raibh siad sásta. Bhí clann acu ach **ba dhaoine difriúla** iad. Bhí siad míshásta. Theastaigh bean **sheanfhaiseanta** uaidh, theastáigh fear **nua-aimseartha** uaithi. Ba mhaith léi dul ar laethanta saoire agus **freagracht**. Ba mhaith leis bean ag fanacht **cois tine ag tabhairt aire** dá pháistí sa teach. Chonaic siad **an fhadhb**. Scar siad.

Gluais

lánúin phósta: *married couple*	freagracht: *responsibility*
bhris siad ó chéile: *they broke up*	cois tine: *beside the fire*
nua-aimseartha: *modern*	ag tabhairt aire: *taking care*
ba dhaoine difriúla iad: *they were different people*	an fhadhb: *the problem*
seanfhaiseanta: *old-fashioned*	scar siad: *they separated*

Ceist a dó:

Cad iad na híomhánna atá le feiceáil sa dán?

Na híomhánna/*Images*

Trí íomhá le feiceáil:

Íomhá 1: an fear

- Feictear (*one sees*) fear **seanfhaiseanta**.
- Feictear fear **míshona**.
- Theastaigh bean sheanfhaiseanta uaidh.

Íomhá 2: an bhean

- Feictear bean **nua-aimseartha**.
- Feictear bean mhíshona.
- Theastaigh fear nua-aimseartha uaithi.

Íomhá 3: an Réiteach

- Feictear an **lánúin ag briseadh óna chéile**.

Gluais

seanfhaiseanta: *old-fashioned*	lánúin ag briseadh óna chéile: *a couple*
míshona: *unhappy*	*breaking up*
nua-aimseartha: *modern*	

Ceist a trí:

Cad é príomhthéama an dáin?

Téamaí an dáin/*Themes*

colscaradh: *divorce*	caite: *worn out*
codarsnacht: *contrast*	saoirse: *freedom*

Téama 1:
Colscaradh/*Divorce*

FREAGRA SAMPLACH/*SAMPLE ANSWER*

Sa dán seo, *Colscaradh* le Pádraig Mac Suibhne, tá an téama **colscaradh** le feiceáil.

Sa dán feicimid lánúin phósta. Tá siad **míshona** lena chéile. Theastaigh bean sheanfhaiseantá uaidh, ba mhaith leis bean ina suí cois tine gach oíche **ag tabhairt aire** dá pháistí, gan phost, gan **saoirse**. Ar an taobh eile, ba mhaith léi saol saor, le **meas** na ndaoine, saoire thar lear agus **cumhacht**. Níl saol cois tine maith go leor di. Tá siad **an-difriúil**. Tá a bpósadh críochnaithe, chonaic siad an fhadhb agus scar siad. **Ghlac siad leis** nach raibh **rogha** acu. Ní raibh siad ag troid ach bhí **plean** difriúil acu. Ní raibh siad sásta le chéile.

Key point: Start all answers stating: theme chosen, poet and name of poem. Give the story of the poem and mention the theme as often as possible.

Gluais

míshona: *unhappy*	an-difriúil: *different*
ag tabhairt aire: *taking care*	rogha: *choice*
saoirse: *freedom*	ghlac siad leis: *they accepted*
meas: *respect*	plean: *plan*
cumhacht: *power*	

Téama 2:
Codarsnacht/*Contrast*

FREAGRA SAMPLACH/**SAMPLE ANSWER**

Sa dán seo, *Colscaradh* le Pádraig Mac Suibhne, tá an téama **codarsnacht** le feiceáil.

Sa dán feicimid lánúin phósta. Tá siad **míshona** lena chéile. Theastaigh bean sheanfhaiseanta uaidh, ba mhaith leis bean ina suí cois tine gach oíche **ag tabhairt aire** dá pháistí, gan phost, gan **saoirse**. Tá **codarsnacht eatarthu**. Níl siad mar a chéile. Bhí brón orthu le chéile. Ar an taobh eile, ba mhaith léi saol saor, le **meas** na ndaoine, saoire thar lear agus **cumhacht**. Níl saol cois tine maith go leor di. Tá siad **an-difriúil**. Tá a bpósadh críochnaithe, chonaic siad an fhadhb agus scar siad. **Ghlac siad leis** nach raibh **rogha** acu. Ní raibh siad ag troid ach bhí **plean** difriúil acu. Tá **codarsnacht** le feiceáil.

Gluais

míshona: *unhappy*	cumhacht: *power*
ag tabhairt aire: *taking care*	an-difriúil: *different*
saoirse: *freedom*	rogha: *choice*
eatarthu: *between them*	ghlac siad leis: *they accepted*
meas: *respect*	plean: *plan*

Ceist a ceathair:

Cad iad príomhmhothúcháin an dáin?

Mothúcháin/*Emotions*

tuirse: *tiredness*	míshonas: *unhappiness*
brón: *sadness*	meas: *respect*

Mothúchán 1: Míshonas/*Unhappiness*

Sa dán *Colscaradh* le Pádraig Mac Suibhne tá an mothúchán **míshonas** le feiceáil.

Sa dán tá lánúin phósta **míshona** lena chéile. **Theastaigh rudaí difriúla uathu.** Bhí **plean** difriúil acu. **Ar thaobh amháin**, ba mhaith leis an bhfear bean sheanfhaiseanta a bheadh sásta lena bpáistí cois tine '*I nead a chine*'. **Ar an taobh eile**, ba mhaith léi saol difriúil. Ba mhaith léi saol nua-aimseartha le saoirse. Tá sonas ag teastáil uaithi. Tá meas ag teastáil uaithi, tá **freagracht** ag teastáil uaithi. Tá fear nua-aimseartha ag teastáil uaithi '*is meas na mílte*'. Níl siad **ag troid** go minic, ach tá siad **mishásta** lena chéile. Ag an deireadh, tá áthas ag teastáil uathu agus bhris siad **ó chéile**.

Gluais

theastaigh rudaí difriúla uathu: *they wanted different things*	ar an taobh eile: *on the other hand*
plean: *plan*	freagracht: *responsibility*
ar thaobh amháin: *on one hand*	is meas na mílte: *the respect of thousands*
i nead a chine: *in hearth of the home*	ag troid: *fighting*
	ó chéile: *from one another*

Mothúchán 2: Saoirse/*Freedom*

Sa dán *Colscaradh* le Pádraig Mac Suibhne tá an mothúchán **saoirse** le feiceáil.

Sa dán seo, tá lánúin phósta míshásta lena chéile. **Theastaigh rudaí difriúla uathu**. Bhí **plean** difriúil acu. **Ar thaobh amháin**, ba mhaith leis an bhfear bean sheanfhaiseanta a bheadh sásta lena bpáistí cois tine *'I nead a chine'*. **Ar an taobh eile**, ba mhaith léi saol difriúil. Ba mhaith léi saol nua-aimseartha le **saoirse**. Tá sonas ag teastáil uaithi. Tá meas ag teastáil uaithi, tá **freagracht** ag teastáil uaithi. Tá fear nua-aimseartha ag teastáil uaithi *'is meas na mílte'*. Níl siad **ag troid** go minic, ach tá **saoirse** ag teastáil uathu óna chéile. Ag an deireadh, tá áthas orthu nuair atá **siad saor agus scartha**.

Gluais

theastaigh rudaí difriúla uathu: *they wanted different things*	ar an taobh eile: *on the other side*
plean: *plan*	freagracht: *responsibility*
ar thaobh amháin: *on one hand*	is meas na mílte: *the respect of thousands*
i nead a chine: *in hearth of the home*	ag troid: *fighting*
	saor agus scartha: *free and separated*

Ceist a cúig:

Déan cur síos ar atmaisféar an dáin:

An t-atmaisféar:

Sa dán *Colscaradh* le Pádraig Mac Suibhne, tá atmaisféar **bog, sona agus soiléir le feiceáil**. Tá an bhean míshona ina pósadh. Tá saoirse ag teastáil uaithi. Ba mhaith léi saoire thar lear, airgead **ina póca agus meas na ndaoine**! Tá an fear míshona ina phósadh. Tá saoirse ag teastáil uaidh freisin. Ba mhaith leis bean sheanfhaiseanta, cois tine **ag tógáil na clainne agus grá ina croí dó**! Tá an t-atmaisféar bog mar **glacann siad leis** an réiteach agus tá siad scartha. Níl siad ag troid, tá áthas orthu.

Gluais

bog: *calm*	meas na ndaoine: *respect of people*
sona: *happy*	ag tógáil na clainne: *rearing the family*
soiléir: *clear*	grá ina croí dó: *love in her heart for him*
ina póca: *in her pocket*	glacann siad leis: *they accept*

Ceist a sé:

An maith leat an dán? Cén fáth? *Do you like the poem? Why?*

Is breá liom an dán seo. Ceapaim go bhfuil sé **greannmhar** mar tá siad an-sona **leis an gcolscaradh**. Níl siad ag troid agus **tuigeann siad** an fhadhb. Tá **difríocht** agus codarsnacht mhór eatarthu. Ba mhaith léi saol difriúil le saoire, saoirse agus **sonas**. Ba mhaith leis bean sa teach, saol grámhar agus sona. Tá **plean** difriúil acu. Is dán brónach é freisin mar tá páistí acu ach beidh rudaí **níos fearr** anois mar tá na tuismitheoirí sásta. Tá na téamaí **réadúil** agus **thuig mé an dán**.

Gluais

greannmhar: *funny*	plean: *plan*
leis an gcolscaradh: *with the divorce*	níos fearr: *better*
tuigeann siad: *they understand*	réadúil: *realistic*
difríocht: *difference*	thuig mé an dán: *I understood the poem*
sonas: *happiness*	

Mo Ghrá-sa (idir lúibiní)/*My Love (in brackets)* le Nuala Ní Dhomhnaill

Brief Explanation/Background:

This poem is about a couple. The poet is mocking the traits of her lover. She says he is not perfect but she loves him regardless. Love is blind and she is happy with him. She is realistic about her lover and loves him all the more for his flaws.

Learn the list below before tackling this poem:

- **leannán**: *lover*
- **tréithe maithe/gránna**: *good/ugly traits*
- **cuma**: *appearance*
- **dathúil**: *good-looking*
- **gránna**: *ugly*
- **greannmhar**: *funny*
- **ag magadh faoi**: *mocking him*
- **réadúil**: *realistic*
- **íomhá ghránna**: *ugly image*
- **tábhachtach**: *important*
- **torthaí**: *fruit*

Leagan Béarla	Leagan Gaeilge éasca
My love	mo ghrá
Is not like a flower	níl sé dathúil
You get in a garden	atá le fáil sa ghairdín
(Or in any tree)	(nó in aon chrann)
And if he is related	agus má tá sé bainteach
To daisies	le nóiníní
They'll be growing from his ears	beidh siad ag teacht as a chluasa
(When he is eight foot under)	(nuair atá sé marbh)
His eyes are	níl a shúile cosúil
No musical stream	
le habhainn cheolmhar	
(they are too close together	(tá siad róghar le chéile
in the first place)	sa chéad áit)
And if silk is smooth	má tá síoda mín
The strands of his hair	tá a chuid gruaige
(like Shakespeare's black widow)	(cosúil le bean Shakespeare)
are like a barbed wire	cosúil le wire géar
But that's not important	níl sé tábhachtach
He gives me apples	tugann sé úlla dom
(and when he is happy, grapes!)	(nuair atá áthas air tugann sé caora fíniúna dom)

Ceist a haon:

Cad é scéal an dáin?

Scéal an dáin:

Tá an dán seo 'Mo ghrá-sa (idir lúibíní)' faoi ghrá. Tá an file ag magadh faoina grá. Tá a fhios aici nach bhfuil sé **foirfe** ach **fós** tá grá láidir aici dó. Níl sé **cosúil** le bláth nó nóinín. Níl a shúile cosúil le habhainn mar tá siad róghar le chéile! Níl a chuid gruaige cosúil le **síoda** mar tá sé róghéar! Tá an pictiúr den fhear gránna. Ach fós tá sí i ngrá leis. Tá an grá **dall**. Tá **tréithe maithe** aige. Tá sé cineálta agus **grámhar** di. Tugann sé grá di agus cuireann sé áthas ina croí. Tuigeann sí nach bhfuil sé foirfe, ach tá sé foirfe di mar **is cuma léi**!

Gluais

foirfe: *perfect*	dall: *blind*
fós: *still*	tréithe maithe: *good traits*
cosúil le: *similar to*	grámhar: *loving*
síoda: *silk*	is cuma léi: *she doesn't care*

Ceist a dó:

Cad iad na híomhánna atá le feiceáil sa dán?

Na híomhánna/*Images*

Dhá íomhá le feiceáil:

Íomhá 1: an fear

- Feictear (*one sees*) fear a bhí **neamhchosúil** le bláth a fhaigheann tú sa ghairdín
- Feictear an t-aonbhaint atá aige le nóiníní: beidh siad ag fás óna chluasa nuair a bheidh sé **faoin talamh**
- Níl a shúile cosúil le habhainn mar tá siad róghar le chéile
- Tá a chuid gruaige róghéar, níl sí **mín**!

Íomhá 2: an grá

- Is cuma leis an mbean seo — 'ach is cuma sin'
- Tugann an fear úlla di. Ceapaim gur **meafar é** ar an ngrá!
- Tugann sé **caora fíniúna** di. Ceapaim go gcuireann sé **aoibhneas** ina croí.

neamhchosúil: *unlike*	faoin talamh: *under the ground*
mín: *smooth*	meafar: *metaphor*
caora fíniúna: *grapes*	aoibhneas: *delight*

Ceist a trí:

Cad é príomhthéama an dáin?

Téamaí an dáin/*Themes*

grá: *love*	greann: *humour*
dúlra: *nature*	gliondar: *delight*

Téama 1:
Greann/*Humour*

FREAGRA SAMPLACH/*SAMPLE ANSWER*

Sa dán seo, *Mo ghrá-sa (idir lúibíní)* le Nuala Ní Dhomhnaill, tá an téama **greann** le feiceáil.

Tá an file ag magadh faoin ngrá atá aici. **Déanann an file cur síos** air. Deir sí nach bhfuil sé dathúil, go bhfuil sé **beagnach gránna**! Nuair a **deir sí** nach bhfuil sé cosúil le haon bhláth ach amháin an nóinín a fhásfaidh as a chluasa nuair a bheidh sé **marbh**, tá sí **réadúil** agus **greannmhar**. Ceapaim go bhfuil an pictiúr de chuma an fhir **an-ghreannmhar**. Tá a shúile róghar le chéile dar léi agus tá a chuid gruaige **róghéar**. Ach tá sé **greannmhar** mar glacann sí leis. Tá sí i ngrá leis, tá an grá dall agus **i ndeireadh na dála** is cuma léi **faoi chuma an fhir**. Cuireann sé áthas uirthi!

> Start all answers stating: theme chosen, poet and name of poem. Give the story of the poem and mention the theme as often as possible.

Gluais

déanann an file cur síos air: *the poet describes him*	réadúil: *realistic*
beagnach gránna: *almost ugly*	ró-ghéar: *too wirey*
deir sí: *she says*	i ndeireadh na dála: *at the end of the day*
marbh: *dead*	faoi chuma an fhir: *about the appearance of the man*

Téama 2:
Dúlra/*Nature*

FREAGRA SAMPLACH/*SAMPLE ANSWER*

Sa dán seo *Mo ghrá-sa (idir lúibíní)* le Nuala Ní Dhomhnaill, Tá an téama **nádúr** le fáil.

Sa dán déanann an file cur síos ar a grá. **Úsáideann sí nádúr** chun cur síos air. Níl sé chomh dathúil le bláthanna '*mar bhláth na n-airní*' agus ní nóinín é **ach oiread ach amháin** nuair a bheidh sé faoin talamh agus iad ag fás óna chluasa! Níl a shúile **chomh dathúil** le habhainn ach oiread mar tá siad róghar le chéile. Is pictiúr **gránnna** é. Úsáideann an file an **nádúr** mar tá grá aici dó. Tá grá aici don nádúr agus grá aici don leannán seo. Tá tréithe maithe aige agus cuireann sé áthas uirthi cosúil leis an **nádúr**. Níl sé **chomh hálainn** leis an nádúr ach tá sé chomh **lách, cineálta** agus grámhar. Úsáideann an file **torthaí** sa véarsa deireanach chun a grá a **thaispeáint dúinn**. Is **meafair** iad ar an áthas agus ar an ngrá a thugann sé di. Tá sí sásta leo agus is cuma léi faoi chuma an fhir!

Gluais

úsáideann sí: *she uses*	lách: *gentle*
ach oiread: *either*	cineálta: *kind*
ach amháin: *except*	torthaí: *fruits*
chomh dathúil: *as attractive*	a thaispeáint dúinn: *to show to us*
chomh hálainn: *as beautiful*	meafair: *metaphors*

Ceist a ceathair:

Cad iad príomhmhothúcháin an dáin?

Mothúcháin/*Emotions*

Mothúchán 1: Grá/*Love*

grá: *love*	sonas: *happiness*	tuiscint: *understanding*
meas: *respect*	gliondar: *delight*	

Sa dán *Mo ghrá-sa (idir lúibíní)* le Nuala Ní Dhomhnaill, tá an mothúchán **grá** le fáil.

Tá an file ag cur síos ar a leannán. Tá pictiúr gránna ann den fhear. Tá a shúile róghar le chéile. Tá a chuid gruaige róghéar. Níl sé an-dathúil ach fós tá grá aici dó. Tá an grá dall ina súile agus is cuma léi mar is duine grámhar cineálta **lách** é. Úsáideann an file meafar leis an **toraidh** ag an deireadh. Tugann an fear toradh don fhile. Tá grá aige di. **B'fhéidir** nach bhfuil sé cosúil le Colin Farrell ach is duine dílis agus **macánta** é. Tá tréithe maithe aige. Tá sí ag magadh faoina grá. Tá a **phearsantacht an-tábhachtach** di. Cuireann sé grá agus gliondar ina croí. Ní grá **fisiciúil** é.

Gluais

lách: *gentle*	pearsantacht: *personality*
toradh: *fruit*	an-tábhachtach: *important*
b'fhéidir: *maybe*	fisiciúil: *physical*
macánta: *honest*	

Mothúchán 2: Tuiscint/*Understanding*

Sa dán seo, *Mo ghrá-sa (idir lúibíní)* le Nuala Ní Dhomhnaill, tá an mothúchán **tuiscint** le feiceáil.

Tá an file i ngrá lena fear. Déanann sí cur síos air agus feictear pictiúr gránna den fhear **bocht**. Tá a chuma ghránna ach fós, tá grá láidir aici dó. Tá an grá dall ina súile. **Tuigeann sí** nach bhfuil sé **foirfe** agus ní bheidh sé foirfe **go deo** ach tá sé foirfe di. Níl an grá **eatarthu fisiciúil**, tá **cairdeas** eatarthu le grá láidir. Tá **tuiscint** eatarthu. Tá an file ag rá go **dtuigeann sí** a leannán. Tá sé cineálta agus **slán**. Beidh sé **ann** go deo **ag tabhairt** a ghrá di. Tá **tuiscint** idir an **lánúin**. **Níl cuma an duine tábhachtach ina gcaidreamh.**

Gluais

bocht: *poor*	slán: *safe*
tuigeann sí: *she understands*	ann: *there*
go deo: *forever*	ag tabhairt: *giving*
foirfe: *perfect*	lánúin: *couple*
eatarthu: *between them*	níl cuma an duine tábhachtach ina
fisiciúil: *physical*	gcaidreamh: *a person's appearance isn't*
cairdeas: *friendship*	*important in their relationship*
leannán: *lover*	

Ceist a cúig:

Déan cur síos ar atmaisféar an dáin.

An t-atmaisféar:

Sa dán *Mo ghrá-sa (idir Lúibíní)* le Nuala Ní Dhomhnaill, tá atmaisféar **bog, sona agus soiléir le feiceáil.**

Tá an bhean sona ina gaol. Tá sí i ngrá le fear nach bhfuil ar an bhfear **is áille ar domhan** ach ag an am céanna b'fhéidir gurb é an fear **is grámhaire** é! Tá sí sásta leis sin. **Glacann sí lena** fear lena **lochtanna** fisiciúla. Tuigeann sí nach bhfuil sé foirfe ach tá sé foirfe di! Tá an grá dall agus tá a fhios aici go bhfuil **cineáltas**, grá agus **meas níos tábhachtaí** ná cuma an duine. Tá a grá dó go deo. Is grá **dearfach** é!

Gluais

bog sona soiléir: *soft, happy and clear*	lochtanna: *flaws*
is áille ar domhan: *most beautiful in the*	cineáltas: *kindness*
world	meas: *repect*
is grámhaire: *most loving*	níos tábhachtaí: *more important*
glacann sí le: *she accepts*	dearfach: *positive*

Ceist a sé:

An maith leat an dán? Cén fáth? *Do you like the poem? Why?*

Is breá liom an dán seo. Ceapaim go bhfuil sé **greannmhar** mar tá siad sona sásta **le chéile**. Deir sí nach bhfuil a grá cosúil le **bláthanna áille** nó **abhainn ghleoite**. Tá sí réadúil sa dán seo. Tuigeann sí go bhfuil grá níos láidre ná cuma. Feicimid nach bhfuil sé dathúil. Ach is cuma léi. Tá sí an-sásta leis. Is breá liom na híomhánna agus an dúlra sa dán. Is dán **cliste** é. Is aoibhinn liom **an chríoch** nuair a thugann sé caora fíniúna di. Tá sé sin **níos fearr ná** fear dathúil dar léi. Beidh sé grámhar agus cineálta **go deo**.

Gluais

greannmhar: *funny*	cliste: *clever*
le chéile: *together*	an chríoch: *the end*
bláthanna áille: *lovely flowers*	níos fearr ná: *better than*
abhainn ghleoite: *pretty river*	go deo: *forever*

5 Páipéar a Dó: Léamhthuiscintí/ *Reading Comprehensions*

(16.5% – 100 marc)

Paipéar a dó: Dhá uair an chloig/2 hours

aims

- To approach the Léamhthuiscintí with the confidence gained from being familiar with the layout and the question types usually asked.
- To practise rewriting information in your own words.
- To learn vocabulary that will be useful to you in all parts of the Ardteist.

key point

You should know the question words before attempting to answer questions! Revise the Listening Chapter here!

exam focus

1. There will be two léamhthuiscintí on the paper worth 50 marks each.
2. Read the title carefully.
3. Read the comprehensions first.
4. Then read the questions.
5. Underline the answers in the text in a second read.
6. Start on your answers!
7. Don't overwrite!
8. Try to put answers into your own words.
9. Use the verb in the question to rewrite in your own words.
10. Attempt all questions.

key point

Remember to turn the pronouns around in your answer! If it says 'Is dalta *mé*' turn it around to 'Is dalta *é*'.

Key questions words

> luaigh: *mention*
>
> cén fáth?: *why?*
>
> cathain?: *when?*
>
> cad?: *what?*
>
> cá fhad?: *how long?*
>
> scríobh dhá phointe eolais: *write two pieces of information*
>
> cá?: *where?*
>
> conas: *how?*
>
> luaigh dhá fháth: *mention two reasons*
>
> tabhair dhá shampla: *give two examples*
>
> léirigh: *show*
>
> an dóigh leat?: *do you think?*
>
> cén fáth a ndeir an scríbhneoir?: *why does the writer say?*
>
> cén sórt?: *what sort?*
>
> cérbh é?: *who was?*

Ceisteanna samplacha/*Sample questions*

Below are the 2009 samples with answers. <u>The answers are underlined in the text</u>.

2009 Ceist 1 – Léamhthuiscint – 100 marc

Freagair **A** *agus* **B** anseo.

A – (50 marc)

Léigh an sliocht seo a leanas agus freagair na ceisteanna **ar fad** a ghabhann leis.

Carrie Crowley:
Bean Spéisiúil as Port Láirge

1. Rugadh agus tógadh Carrie Crowley i bPort Láirge. <u>Ba mhúinteoir a máthair</u> a rugadh sna Rosa i dTír Chonaill. <u>Ba gharda a hathair</u> agus rugadh eisean i gCorcaigh. Fuair a tuismitheoirí poist i bPort Láirge agus chuir siad fúthu sa chathair sin. Rinne a tuismitheoirí gach iarracht saol taitneamhach síochánta a thabhairt don teaghlach. Bhí saol sona sásta ag Carrie agus í ag fás aníos.

2. Chuir Carrie suim sa Ghaeilge ar dtús agus í sa bhunscoil i bPort Láirge. Rinne sí cúrsa Gaeilge i Ros Muc i gConamara sa bhliain 1974. An bhliain ina

dhiaidh sin <u>chaith sí trí mhí sa cheantar</u> céanna ar chúrsa Ghael Linn. B'aoibhinn léi Ros Muc nuair a bhí sí ann. Parthas a bhí ann dar léi, neamh ar talamh. Thug sí cuairt ar an áit arís nuair a bhí sí sé bliana is fiche d'aois. An t-am seo ní raibh sí ábalta a chreidiúint go raibh an áit chomh beag agus chomh ciúin sin. Áit an-speisialta a bhí ann di agus í óg.

3. Chaith Carrie trí bliana i gColáiste Phádraig Dhroim Conrach i mBaile Átha Cliath, coláiste oideachais do mhúinteoirí bunscoile. Cheap sí go raibh an coláiste sin an-chosúil leis an scoil a bhí díreach fágtha aici. Bhí smacht dian ann agus ní raibh mórán saoirse aici. Bhain sí sult as an tréimhse a chaith sí ann, áfach. <u>Oideachas leathan a cuireadh ar fáil ann agus ní raibh an cúrsa dírithe ar aon ábhar amháin.</u> Tar éis di céim a bhaint amach san Oideachas i 1985, fuair sí post mar mhúinteoir bunscoile sa Dún Mór i bPort Láirge. Thaitin an obair go mór léi, ag múineadh cailíní bunscoile amuigh in áit chiúin faoin tuath. Tar éis trí bliana a chaitheamh ansin d'éirigh sí as a post agus chuaigh sí <u>ag obair in pizzeria.</u>

4. <u>Tar eis di a bheith ag obair sa bhialann chaith Carrie tamall i mbun aisteoireachta leis an gCompántas Red Kettle i bPort Láirge.</u> Ina dhiaidh sin chaith sí trí bliana ag canadh leis an mbanna ceoil Miss Brown to You. Bhíodh an banna seo le feiceáil ar RTÉ agus thug siad ceolchoirmeacha ar fud na tíre chomh maith. Bhí Carrie an-ghnóthach ar an raidió áitiúil i bPort Láirge freisin. Ag obair mar láithreoir agus ag cur cláir bhricfeasta, cláir ealaíon, agus cláir chúrsaí reatha i láthair a bhíodh sí. Shocraigh sí tár éis tamaill filleadh ar Bhaile Átha Cliath.

5. Tairgeadh post di in RTÉ ar an gclár *Echo Island*. Ní raibh sí ach bliain ansin nuair a tháinig sí os comhair an domhain mhóir. <u>Roghnaíodh í féin agus Ronan Keating mar chomhláithreoirí ar an gcomórtas Amhránaíochta Eoraifíse i 1997.</u> D'éirigh thar barr leo san obair thábhachtach seo, rud a chabhraigh le Carrie ina saol proifisiúnta. Chuir sí cláir éagsúla eile i láthair ina dhiaidh sin, *Pulsé* agus *Pot Luck* ar RTÉ, agus *Turas Anama* ar TG4. Ba é an clár cainte *Limelight* an clár deireanach a chuir sí i láthair sular éirigh sí as an obair theilifíse. Tá sí tar éis díriú isteach i gceart ar an aisteoireacht le blianta beaga anuas. Is liosta le háireamh iad na drámaí agus na scannáin ar ghlac sí páirt iontu. Tá Carrie sásta lena saol agus is beag rud a d'athródh sí, fiú dá mbeadh an seans aici.

Bunaithe ar alt le hÉamonn Ó Dónaill ar an iris idirlín www.beo.ie

1. Cad iad na poist a bhí ag athair agus ag máthair Charrie Crowley? (Alt 1)

(10 marc)

2. Cé mhéad ama a chaith sí i Ros Muc sa bhliain **1975**? (Alt 2) (10 marc)

3. Cén saghas oideachais a cuireadh ar fáil i gColáiste Phádraig nuair a bhí sí ann? (Alt 3) (10 marc)

4. Luaigh **dhá** shaghas oibre a rinne Carrie tar éis di éirí as a post mar
   mhúinteoir. (Alt 4) (10 marc)
5. Cén rud spéisiúil a tharla di in RTÉ sa bhliain **1997**? (Alt 5) (10 marc)

I have reworded the answers below!

Freagraí/*Answers*

1. Ba mhúinteoir í a máthair agus ba gharda é a hathair.
2. Bhí Carrie i Ros Muc ar feadh trí mhí sa bhliain 1975.
3. Bhí Oideachas leathan nach raibh dírithe ar ábhar
   amháin ar fáil i gColáiste Phádraig nuair a bhí sí ann.
4. Bhí Carrie ag obair sa bhialann ar dtús, agus ansin bhí sí
   ina haisteoir.
5. Sa bhliain 1997 bhí Carrie agus Ronan Keating
   roghnaithe mar chomhláithreoirí ar an gcomórtas
   Amhránaíochta Eoraifíse.

> **key point**
>
> Read and re-read the passages till you get the gist of the subject. **Do not** pull full chunks from the passage!

B – (50 marc)

Léigh an sliocht seo a leanas agus freagair na ceisteanna **ar fad** a ghabhann leis.

Des Bishop:
Fear Grinn agus Gaeilgeoir

1. Rugadh Des Bishop i Nua-Eabhrac i Meiriceá sa bhliain
   1976. Bhí gaolta aige ina gcónaí in Éirinn. Nuair a bhí sé
   ina dhéagóir bhí deacrachtaí aige ar scoil. Ní raibh sé sona
   ann. Dúirt sé lena thuismitheoirí gur mhaith leis teacht go
   hÉirinn chun a chuid oideachais a chríochnú sa tír seo.
   Phléigh siad an scéal agus shocraigh siad go rachadh Des ar
   scoil in Éirinn.

2. Ní raibh Des ach ceithre bliana déag d'aois nuair a
   cuireadh go scoil chónaithe i Loch Garman é. Tar éis dó a chuid
   meánscolaíochta a chríochnú chuaigh sé go Coláiste na hOllscoile, Corcaigh.
   Rinne sé céim sa Bhéarla agus sa Stair. Bhí an-suim aige sa drámaíocht nuair a
   bhí sé ar an ollscoil. Bhí sé an-ghníomhach i gcumann drámaíochta na
   hollscoile. Ina dhiaidh sin thosaigh sé ag freastal ar chlub coiméide go rialta
   agus cheap an fear a bhí i mbun an chlub go mbeadh Des go maith ag an
   gcoiméide. Rinne Des a chéad *gig* sa chlub sin.

3. Sula i bhfad bhí lucht leanúna díograiseach ag gach *gig* a rinne Des Bishop. Sa
   bhliain 2000 bhí sé mar chaptaen foirne ar an gclár *Don't feed the Gondolas* ar
   RTÉ. Bhí aird an phobail ar Des anois ach ní raibh sé sásta mar níor thaitin
   cláir phainéil leis riamh. Nuair a bhí sé ag obair ar an gclár sin d'éirigh sé tinn.
   Bhí ailse air. Níor theastaigh uaidh go mbeadh eolas ag gach duine faoina
   thinneas ach foilsíodh an scéal ar an gcéad leathanach de nuachtán laethúil.

Toisc go raibh an scéal i mbéal an phobail bhí Des sásta cabhrú le Cumann Ailse na hÉireann. <u>Tugann sé cainteanna anois faoi ailse na bhfear.</u>

4. Tá ainm in airde ar Des anois de bharr na sraitheanna teilifíse inar ghlac sé páirt — *Des Bishop Work Experience, Joy in the Hood* agus *In the Name of the Fada*. Sa tsraith *Work Experience* bhí ar Des maireachtáil ar phá an-bheag agus é ag obair i siopaí agus i mbialanna éagsúla. Fuair sé léargas ar na deacrachtaí a bhíonn le fulaingt ag daoine a bhíonn ag iarraidh maireachtáil ar bheagán airgid. Sa tsraith *In the Name of the Fada* <u>chónaigh sé i dTír an Fhia, Leitir Móir, i nGaeltacht Chonamara</u> agus thosaigh sé ag déanamh dianstáidéir ar an nGaeilge.

5. Ní raibh air an Ghaeilge a fhoghlaim ar scoil mar nár tháinig sé go hÉirinn go dtí go raibh sé ceithre bliana déag d'aois ach bhí suim aige sa Ghaeilge riamh. D'éirigh go breá leis ar feadh na bliana a chaith sé i gConamara. Tá stór focal breá leathan aige anois agus ó thaobh na bhfuaimeanna de — is geall le fear as Conamara anois é agus focail mar 'bheadh' agus 'cén chaoi' á rá aige. Tá sé líofa go leor sa teanga anois le *gig* a dhéanamh trí mheán na Gaeilge os comhair lucht féachana a labhraíonn an Ghaeilge go rialta agus go líofa. <u>Tá Des Bishop tar éis a léiriú gur féidir le duine Gaeilge a fhoghlaim taobh istigh de thréimhse ghearr má dhíríonn sé a aird i gceart ar a thasc.</u>

Bunaithe ar alt le Caoimhe Ní Laighin ar an iris idirlín www.beo.ie

1. (a) Cén áit ar rugadh Des Bishop? (Alt 1)

   (b) Cén fáth ar tháinig sé go hÉirinn chun a chuid oideachais a chríochnú?
   (Alt 1)   (10 marc)

2. Luaigh an **dá** ábhar a rinne Des sa chéim i gColáiste na hOllscoile, Corcaigh.
   (Alt 2)   (10 marc)

3. (a) Cén galar a bhuail Des Bishop? (Alt 3)

   (b) Cén obair a dhéanann Des do Chumann Ailse na hÉireann? (Alt 3)   (10 marc)

4. Cár chónaigh sé nuair a thosaigh sé ag déanamh dianstaidéir ar an
   nGaeilge? (Alt 4)   (10 marc)

5. Cad atá léirithe ag Des Bishop? (Alt 5)   (10 marc)

Freagraí/*Answers*

1. (a) Rugadh Des i Nua-Eabhrac i Meiriceá.

   (b) Tháinig sé go hÉirinn chun a chuid oideachais a chríochnú mar bhí deacrachtaí aige ar scoil.

2. Rinne Des Béarla agus Stair i gColáiste na hOllscoile Corcaigh.

3. (a) Bhí ailse ar Des.

   (b) Tugann sé cainteanna faoin ngalar a bhí aige.

4. Chónaigh sé i dTír an Fhia, Leitir Móir, i nGaeltacht Chonamara.

5. Léirigh sé go bhfuil daoine ábalta an Ghaeilge a fhoglaim taobh istigh de thréimhse ghearr má tá fonn orthu.

2008 Ceist 1 – Léamhthuiscint – 100 marc

Freagair **A** *agus* **B** anseo.

A – (50 marc)

Léigh an sliocht seo a leanas agus freagair na ceisteanna **ar fad** a ghabhann leis.

Bean Spéisiúil ón bPolainn

1. Tá 100,000 Polannach ina gcónaí i mbailte agus i gcathracha ó cheann ceann na hÉireann. An duine is mó aithne as an slua sin ar fad ná Izabela Chydzicka. Tá cáil bainte amach aici sa tír seo laistigh de sheacht mbliana ó tháinig sí anseo ón bPolainn. Tá clár teilifíse sa Pholainnis á chur i láthair aici ar City Channel i mBaile Átha Cliath ón mbliain 2005, agus bhí sí mar aoi speisialta ar 'Questions and Answers', 'The View' agus 'The Late Late Show' ar RTÉ, agus ar chláir eile nach iad. Is mór an rud é séo ag bean óg nach bhfuil ach 27 mbliana d'aois, agus nach bhfuil aici ach Béarla briste.

2. Ní hé an clár teilifíse an t-aon phost amháin atá aici. Tá post aici ó lár 2007 amach le metoo.ie i bPáirc Ghnó East Point in aice le Cluain Tarbh i dtuaisceart Chathair Bhaile Átha Cliath. Is suíomh gréasáin é metoo.ie do Pholannaigh atá ina gcónaí in Éirinn. Bíonn poist á bhfógairt ar an suíomh, agus bíonn nuacht ón bPolainn le léamh air. Bíonn fóram ar an suíomh freisin a thugann deis do Pholannaigh ceisteanna éagsúla a phlé lena chéile.

3. Rugadh Izabela sa bhliain 1980 in Zabkowice Slaskie, baile beag i ndeisceart na Polainne. Bhí saol crua aici féin agus ag a teaghlach agus í óg ach bhí gaolta acu sa Ghearmáin a chuir bronntanais chucu ó am go ham. Theastaigh uaithi post maith a fháil. Nuair a bhí an *matura* déanta aici (scrúdú cosúil leis an Ardteistiméireacht), chuaigh sí ag obair le banc Éireannach sa Pholainn. Thosaigh sí ag déanamh staidéir ar an dlí go páirtaimseartha ag an am céanna. Bhí sí sásta a bheith ag obair sa bhanc agus ní raibh sé i gceist aici a tír dhúchais a fhágáil. Le himeacht aimsire, áfach, bhuail sí le daoine as Éirinn, fuair sí eolas faoin tír, agus shocraigh sí teacht anseo.

4. Tháinig sí go hÉirinn i mí Mheán Fómhair 2001. D'fhill sí ar an bPolainn don Nollaig an bhliain sin ach tar éis seachtaine sa bhaile bhí cumha uirthi i ndiaidh na hÉireann. Bhí sí ag iarraidh filleadh ar Bhaile Átha Cliath. Nuair a d'fhill sí, thosaigh sí ag freastal ar ranganna Béarla. Fuair sí post mar rúnaí i gcoláiste Béarla agus sa tslí sin chuir sí aithne ar dhaoine ó thíortha éagsúla a bhí tar éis teacht go hÉirinn.

5. Fostaíodh í mar fhreastalaí i dteach tábhairne agus i gclub oíche i lár Bhaile Átha Cliath ach níor thaitin an obair léi. D'éirigh sí as tár éis na chéad oíche! Ach d'aithin an t-úinéir gur oibrí an-mhaith a bhí inti agus thug sé post di mar bhainisteoir fógraíochta ar na tithe tábhairne ar fad atá aige. Chaith sí dhá bhliain sa phost sin agus d'éirigh thar barr léi. Chuaigh sí ag obair ar an gclár teilifíse ina dhiaidh sin.

6. Ní rómhaith a thaitníonn aimsir na hÉireann léi. Ach tá a lán cairde aici anseo, tá post maith aici agus árasán deas. Níl sí réidh le dul abhaile go fóill.

Bunaithe ar alt le hAlan Desmond ar an iris idirlín www.beo.ie

Bain triail as!

1. Luaigh **dhá** chlár teilifíse a raibh Izabela mar aoi orthu. (Alt 1) (10 marc)

2. Ainmnigh **dhá** rud a bhíonn ar an suíomh gréasáin *metoo.ie*. (Alt 2) (10 marc)

3. Cad a rinne sí go páirtaimseartha nuair a bhí sí ag obair sa bhanc? (Alt 3) (10 marc)

4. Conas a mhothaigh sí nuair a d'fhill sí ar an bPolainn don Nollaig sa bhliain 2001? (Alt 4) (10 marc)

5. Conas a d'éirigh léi mar fhreastalaí sa teach tábhairne i mBaile Átha Cliath? (Alt 5) (10 marc)

B – (50 marc)

Léigh an sliocht seo a leanas agus freagair na ceisteanna **ar fad** a ghabhann leis.

Fear Gnímh as Fear Manach

1. Fear gnímh é Peadar Ó Cuinn, nó Peter Quinn mar is fearr aithne air, fear a bhfuil cuid mhór rudaí déanta aige ina shaol go dtí seo. Tá cáil air mar dhuine atá ábalta pleananna a dhéanamh agus rudaí a chur i gcrích. Is iontach an fear gnó é le fada an lá. Bhí baint lárnach aige le forbairt Pháirc an Chrócaigh do Chumann Lúthchleas Gael.  Bhí sé ina bhall de Choimisiún na bParáidí i dTuaisceart Éireann. Anuraidh, sa bhliain 2007, ceapadh é ina Chathaoirleach ar TG4, an chéad Chathaoirleach ar an stáisiún ó fuair siad neamhspleáchas ó RTÉ.

2. Rugadh Peter sa Tigh Mór, baile beag i gcontae Fhear Manach atá míle ón teorainn le contae an Chabháin. Bhí ceathrar sa chlann, Peter, a dheartháir Seán, agus beirt deirfiúracha. Bhí Peter agus Seán an-tógtha leis an bpeil agus iad ag fás aníos. Níor bhac a n-athair le cluichí in aon chor; cur amú ama a bhí iontu dar leis. Bhí duine de na comharsana míshásta leis an athair lá amháin cionn is nach ndeachaigh sé lena chuid mac a fheiceáil ag imirt riamh. Chuaigh

sé chuig an gcéad chluiche eile agus ón lá sin go dtí lá a bháis ceithre bliana ina dhiaidh sin níor chaill sé cluiche ar bith ina raibh a mhic ag imirt.

3. Bhí Peter an-éirimiúil nuair a bhí sé ar scoil. D'éirigh go han-mhaith leis sna scrúduithe agus chuaigh sé ar an ollscoil. Bhain sé céim amach sa Laidin agus san Eacnamaíocht in Ollscoil na Banríona i mBéal Feirste i 1964. Rinne sé Cuntasaíocht[1] ina dhiaidh sin. Chaith sé tamall ag léachtóireacht in Ollscoil na Banríona agus rinne sé céim MBA ansin. Bhí post aige ar feadh tamaill leis an Manchester Business School. Ach ansin d'iarr a dheartháir Seán air dul ag obair leis siúd sa ghrúpa comhlachtaí atá aige, an Quinn Group. Tá baint lárnach ag Peter leis an ngrúpa ó shin i leith. Tá Seán ar an dara duine is saibhre in Éirinn inniu agus deir Peter gur fhoghlaim sé níos mó ó bheith ag obair lena dheartháir ná mar a d'fhoghlaim sé ó aon leabhar riamh.

4. Tá cónaí ar Pheter in Inis Ceithleann le breis agus fiche bliain anuas. Réitíonn sé go maith le gach dream sa phobal. Ní bhaineann sé le haon pháirtí polaitíochta cé go ndeir sé go bhfuil dearcadh náisiúnach aige ar chúrsaí reatha. Tá neart airgid aige anois agus cabhraíonn sé le grúpaí deonacha toisc gur cuimhin leis an uair nach raibh mórán airgid aige. Is í an fhealsúnacht atá aige gur chóir do dhaoine a n-éiríonn go maith leo sa saol cabhrú le daoine nach n-éiríonn chomh maith céanna leo.

5. Bhí iontas ar roinnt daoine nuair a ceapadh Peter ina Chathaoirleach ar TG4 ach tá taithí aige ar a bheith ag plé le cúrsaí teilifíse ón uair a bhí baint aige le Ciste Craoltóireachta Gaeilge an BBC sa tuaisceart. Tá go leor dúshlán roimh TG4 dar leis. Deir sé go gcaithfidh an fhoireann agus an bhainístíocht a bheith ag forbairt na seirbhísí i gcónaí. Caithfidh siad cláir mhaithe a dhéanamh leis an lucht féachana a choinneáil. Agus caithfear a bheith cinnte chomh maith go gcuirfidh an rialtas go leor airgid ar fáil don stáisiún.

Bunaithe ar alt le Caoimhe Ní Laighin ar an iris idirlín www.beo.ie

1. Cén post nua a fuair Peter Quinn in 2007? (Alt 1)   (10 marc)

2. (a) Cén rud a raibh Peter agus Seán an-tógtha leis agus iad ag fás aníos?
   (b) Cén dearcadh a bhí ag an athair ar na cluichí i dtosach? (Alt 2)   (10 marc)

3. (a) Ainmnigh **dhá** ábhar a ndearna Peter staidéar orthu.
   (b) Cén grúpa lena bhfuil sé ag obair anois? (Alt 3)   (10 marc)

4. Cén fáth a gcabhraíonn Peter le grúpaí deonacha anois? (Alt 4)   (10 marc)

5. Luaigh **dhá** dhushlán atá roimh TG4, dar le Peter. (Alt 5).   (10 marc)

[1]   The correct term for the profession is 'Cuntasóireacht', but this term was used in the exam paper.

6 Gramadach/*Grammar*

aims You will understand the following:
- An Aimsir Láithreach
- An Aimsir Chaite
- An Aimsir Fháistineach
- An Aidiacht Shealbhach: possessive adjective
- Na Réamhfhocail Shimplí: Simple Prepositions
- Comhfhocail: Compound Words
- Céimeanna Comparáide: Degrees of Comparison

An Aimsir Chaite/*The Past Tense*

key point

To apply the rules you first need to know if a verb is Leathan or Caol. You know this by looking at the last vowel in the verb.

Leathan = a,o,u, á,ó,ú

Caol   = i,e,í,é

exam focus

Refer to page 40 for Aimsir Láithreach rules and revision.

Refer to page 44 for Aimsir Chaite rules and revision.

Refer to page 55 for Aimsir Fháistineach rules and revision.

For '*sinn*' = 'we': there are endings added on.		
	Leathan	**Caol**
An chéad réimniú	–amar	–eamar
An dara réimniú	–aíomar	–íomar

These are regular verbs

1. (Rith)_____Molly go dtí an siopa.

2. (Cabhraigh)_____ Seán liom.

3. (Léim)_____ mé ar an mbord.

4. (Fág)_____ sé milseáin.

5. (Tit)_____ sí ar an talamh.

6. (Goid)_____ sé é i bpreabadh na súl.

7. (Ól)_____ siad an tae go héasca.

8. (Tosaigh—sinn)_____ go moch an mhaidin sin.

9. (Réitigh)_____ mé go maith le Mamó.

10. (Éalaigh) _____ siad ar nós na gaoithe.

An Aimsir Láithreach/*The Present Tense*

For '*sinn*' = 'we': there are endings added on.		
	Leathan	**Caol**
An chéad réimniú	–aimid	–imid
An dara réimniú	–aímid	–ímid

These are irregular verbs

1. (Faigh—mé) _____ rudaí ón tseilf.

2. (Tá—sinn)_____ ar mhuin na muice.

3. (Beir—sé)_____ greim orm.

4. (Téigh—siad) _____ abhaile gach lá.

5. (Abair—sinn) _____ ar bpaidreacha.

6. (Tar—mé)_____ go dtí an áit.

7. (Tabhair—sé) _____ leabhair dom.

8. (Ith—sé) _____ gach lá.

9. (Clois—mé)_____ an scéal gach lá.

10. (Feic—sí) _____ an gnáthrud gach lá.

An Aimsir Fháistineach/*The Future Tense*

For '*sinn*' = 'we': there are endings added on.		
	Leathan	**Caol**
An chéad réimniú	–faimid	–fimid
An dara réimniú	–óimid	–eoimid

These are regular verbs

1. (Ól–sé) _____ bainne amárach.

2. (Can–sí) _____os ard an bhliain seo chugainn.

3. (Rith-sinn) _____ go dtí an halla tar éis lóin.

4. (Tuill–siad) _____níos mó an mhí seo chugainn.

5. An bhliain seo chugainn, (éirigh–mé) _____ níos luaithe.

6. (Loit–siad) _____ an oíche amárach orainn.

7. (Díol)_____an siopadóir earraí an tseachtain seo chugainn.

8. (Íoc–mé)_____ mo chíos anocht.

9. (Scríobh–sinn) _____litir chugat amárach.

10. (Gortaigh–tú) _____do chos leis an bpleidhcíocht amárach.

An Aidiacht Shealbhach/*Possessive Adjective*

Riail/Rule

What is an urú?

An urú is a letter added on to the start of a word.

If the letter is not mentioned above, then it cannot take an urú and shall stay the same: ár seomra/our room, a mála/their bag

You need to know the 7 **urú** first!

Learn!: 7 urú in úsáid:

n➜g, b➜p, d➜t, n➜d, bh➜f, g➜c, m➜b

Mo + h (*my*):   mo theach

Do + h (*your*):   do theach

A + h (*his*):   a theach

A + (*her*):   a teach

Ár + urú (*our*):   ár dteach

Bhur + urú (*your plural*): bhur dteach

A + urú (their):   a dteach

The urú is applied to the first letter of the word:

e.g. páirc: i bpáirc.

Déan tusa na cinn seo.

	páirc	cailín	gúna	fuinneog	buachaill	doras
mo						
do						
a (his)						
a (hers)						
ár						
bhur						
a (theirs)						

What about the vowels: a,e,i,o,u?

Riail dhifriúil:

M'	m'úll
D'	d'úll
A (his)	a úll
A (hers) +h	a húll
Ár +n-	ár n-úll
Bhur +n-	bhur n-úll
A (theirs) +n-	a n-úll

Déan tusa na cinn seo.

	ordóg *thumb*	eochair *key*	uaireadóir *watch*	iasc *fish*
mo				
do				
a (his)				
a (hers)				
ár				
bhur				
a (their)				

Na réamhfhocail shimplí/*The simple prepositions*

Mar shampla: at, with, of, off, towards, to, before, over, through, about, from, on, in.

Some of these require a 'h' in the next word:

1. as/*out of*: Táim as póca.
2. go/*to*: Téim go Corcaigh. *** use 'h' with vowel word (*go hiontach*).
3. le/*with*: Téim le Máire. ***use 'h' with vowel word (*le háthas*).
4. ag/*at*/*have*: Tá dearthair ag Máire.
5. chuig/*to*/*towards*: Táim ag scríobh chuig Máire.
6. ó/*from*: + h: Fuair mé bainne ó Mháire.
7. de/*off*: + h: Thit mé de bhalla.
8. do/*for*/*to*: + h: Thug mé é do Mháire.
9. trí/*through*: + h: Chuaigh sé trí thine.
10. ar/*on*: + h: Bhí áthas ar Mháire.
11. mar/*as a*: + h: Bhí post agam mar mhúinteoir.
12. thar/*over*/*past*: + h: Rith mé thar Mháire.
13. roimh/*before*: + h: Chuir mé fáilte roimh Sheán.
14. gan/*without*: + h: Táim gan phost.
15. faoi/*about*/*under*: + h: Scríobh mé scéal faoi ghrá.

1. Bhris mé é trí_____(timpiste).

2. Tá mála nua ag _____(Seán).

3. Thit Seán de_____(bord).

4. Fuair me íde béil ó _____(múinteoir tíreolaíochta).

5. Baineadh geit as _____(Daithí).

6. Bhí brón ar _____(Pádraig).

7. Is maith le_____(Síle) peil.

8. Chuir mé fáilte roimh _____(Tomás).

9. Chuaigh mé go _____(Árann).

10. D'ith mé le _____ (gliondar).

11. Bhí madra ag _____(Tomás).

12. Is as _____(Corcaigh) dom.

13. Scríobh mé ríomhphost chuig_____(Laoise).

With 'an'/ With 'the':

The group below take an *urú* (look at the list of *urú* on page 203).

ag an: *at the*

chuig an: *towards the*

tríd an: *through the*

as an: *out of the*

ón: *from the*

faoin: *under/about the*

ar an: *on the*

roimh an: *before the*

leis an: *with the*

key point

These three take a 'h'

den: *off the*

don: *for/to the*

sa: *in the*

1. Towards the boy: chuig an (buachaill)_____

2. About the job: faoin (post)_____

3. With the money: leis an (airgead)_____

4. On the wall: ar an (balla)_____

5. From prison: ón (príosún)_____

6. Before the principal: roimh an (príomhoide)_____

7. Through the field: tríd an (páirc) _____

8. On the bag: ar an (mála)_____

9. For the boy: don (buachaill) _____

10. Off the wall: den (balla)_____

11. In the kitchen: sa (cistin) _____

key point

D,N,T,L,S: if a word ends with any of the letters d,n,t,l,s and the following word begins with any of the letters d,n,t,l,s then the word stays unchanged. When they meet, they cannot take a 'h' or urú.

Mar shampla: ar a**n d**oras

Comhfhocail/*Compound Words*

If two words are put together they become a compound word: old castle/*seanchaisleán*

Where possible, the second word will take a 'h'!

Mar shampla: gnáth**dh**uine/*ordinary person*

D,N,T,L,S: if a word ends with any of the letters d,n,t,l,s and the following word begins with any of the letters d,n,t,l,s then the second word is unchanged. When they meet, they cannot take a 'h'.

Mar shampla: sea**ns**aol/*old life*

Bain triail as! *Your turn!*

gnáth+daoine _____

sráid+baile _____

bruach+baile _____

príomh+téama _____

príomh+mothúchán _____

gearr+scéal _____

sár+filíocht _____

fís+téip _____

gnáth+lá _____

ceol+dráma _____

Céimeanna Comparáide/*Degrees of Comparison*

Good, better, the best

Some follow rules; some are irregular!

Irregular ones are used most frequently!

Irregular/*Neamhrialta*: **Learn!**

Good: *Maith:* níos fearr: is fearr

Bad: *Olc:* níos measa: is measa

Big: *Mór:* níos mó: is mó

Small: *Beag:* níos lú: is lú

Long: *Fada:* níos faide: is faide

Short: *Gearr:* níos giorra: is giorra

Often: *Minic:* níos minice: is minice

Hot: *Te:* níos teo: is teo

Slow: *Mall:* níos moille: is moille

Fast: *Tapaidh:* níos tapúla: is tapúla

Nice: *Breá:* níos breátha; is breátha

Near: *Gar:* níos gaire: is gaire

Lovely: *Álainn:* níos áille: is áille

Bain triail as! *Your turn!*

Tá Seán (good) _____; tá Síle (better) _____ ach is é Daithí (the best)

_____.

Táim (fast)_____; tá Frank (faster)_____ ach is é Brian (the

fastest)_____.

Tá mo charr (slow)_____; tá do charr (slower _____ ach is é carr

Sheáin (the slowest) _____.

Tá mo scoil (near)_____; tá an siopa (nearer) _____ ach is é an club

(the nearest) _____.

Tá Máire (nice); tá Síle (nicer)_____ach is í Bairbre (the nicest)

_____.

Tá an Spáinn (hot) _____tá an Astráil (hotter) _____ ach is é Meiriceá

(the hottest) _____.

Admhálacha

Ba mhaith leis na foilsitheoirí a mbuíochas a ghabháil leis na heagraíochtaí agus leis na daoine seo a leanas as cead a thabhairt dóibh ábhar atá faoi chóipcheart a atáirgeadh:

'An tEarrach Thiar' from *Rogha Danta* by Máirtín Ó Direáin reprinted by kind permission of Cló Iar-Chonnacht, Indreabhán, Co. na Gaillimhe. 'Mo Ghrá-sa (idir luibíní)' from *Fear Suaithinseach* by Nuala Ní Dhomhnaill reprinted by kind permission of the author c/o The Gallery Press, Loughcrew, Oldcastle, County Meath, Ireland. 'Colscaradh' from *Solas Uaigneach* by Pádraig Mac Suibhne reprinted by the kind permission of the author. 'Géibheann' from *Caitlín Maude: Dánta, Drámaíocht, agus Prós* (Coisceim, 2005) by Ciarán Ó Coigligh, reprinted by kind permission of Ciarán Ó Coigligh. 'Carrie Crowley: Bean Spéisiúil as Port Láirge' by Éamonn Ó Dónaill, 'Des Bishop: Fear Grinn agus Gaeilgeoir' by Caoimhe Ní Laighin, 'Bean Spéisiúil ón bPolainn' by Alan Desmond and 'Fear Gnímh as Fear Manach' by Caoimhe Ní Laighin all published by www.beo.ie and reprinted with permission.

Beidh na foilsitheoirí sásta socruithe cuí a dhéanamh le haon sealbhóir cóipchirt nach raibh fáil air a dhéanann teagmháil leo tar éis fhoilsiú an leabhair.